El revés del alma

ALFAGUARA

© 2002, **Carla Guelfenbein**
© De esta edición:
2002, **Aguilar Chilena de Ediciones S.A.**
Dr. Aníbal Ariztía 1444, Providencia,
Santiago de Chile

- **Aguilar, Altea, Taurus, Alfaguara, S.A. de Ediciones**
  Beazley 3860, 1437 Buenos Aires, Argentina.
- **Santillana de Ediciones S.A.**
  Avda. Arce 2333, entre Rosendo Gutiérrez
  y Belisario Salinas, La Paz, Bolivia.
- **Distribuidora y Editora Aguilar, Altea, Taurus, Alfaguara S.A.**
  Calle 80 Núm. 10-23, Santafé de Bogotá, Colombia.
- **Santillana S.A.**
  Av. Eloy Alfaro 2277, y 6 de Diciembre, Quito, Ecuador.
- **Santillana Ediciones Generales S.L.**
  Torrelaguna 60, 28043 Madrid, España.
- **Santillana Publishing Company Inc.**
  2043 N.W. 87 th Avenue, 33172, Miami, Fl., EE.UU.
- **Aguilar, Altea, Taurus, Alfaguara S.A. de C.V.**
  Avda. Universidad 767, Colonia del Valle, México D.F. 03100.
- **Santillana S.A.**
  Avda. Venezuela N° 276, e/Mcal. López y España,
  Asunción, Paraguay.
- **Santillana S.A.**
  Avda. San Felipe 731, Jesús María, Lima, Perú.
- **Ediciones Santillana S.A.**
  Constitución 1889, 11800 Montevideo, Uruguay.
- **Editorial Santillana S.A.**
  Avda. Rómulo Gallegos, Edif. Zulia 1er. piso
  Boleita Nte., 1071, Caracas, Venezuela.

ISBN: 956-239-221-X
Inscripción N° 126.637
Impreso en Chile/Printed in Chile
Primera edición: julio de 2002
Segunda edición: diciembre de 2002

Diseño:
Proyecto de Enric Satué

Cubierta:
Claudia Pino,
sobre una fotografía de Alexandra Edwards

Carla Guelfenbein

El revés del alma

Para Carlos Altamirano, por todo...

Daniela

A pesar de la lluvia, esta noche hay más gente que de costumbre. En los cristales empañados, las gotas forman surcos, semejantes al hilo de sudor que corre por la frente del barman. En nuestra mesa, un par de tipos que no conozco intenta medir sus fuerzas brazo contra brazo. Hay algo feroz y a la vez pueril en sus rostros. Cuando el más corpulento es vencido por el más débil, Rodrigo esgrime una sonrisa y luego saca una pequeña libreta del bolsillo de su chaqueta. Hace un par de meses que no se desprende de esa libreta. Ahí hace anotaciones y recopila gestos para su personaje, costumbre molesta, pues nunca se sabe cuándo una horrible expresión, de aquellas que uno ignora de sí mismo y desearía seguir ignorando, quedará inmortalizada. Él lo sabe y, por lo general, evita exhibirla en mi presencia. Aspiro mi cigarro y expulso el humo hacia su rostro. Rodrigo levanta la cabeza y por primera vez en la noche me mira con esa expresión atenta y envolvente que lo caracteriza. Basta una de sus señas para neutralizarme, para recordar —¿o imaginar?— que es a mí a quien ha elegido, y que todas esas mujeres revoloteando en torno a él le son indiferentes. Rodrigo vuelve a bajar la vista y termina de escribir. Una joven se acerca a nuestra mesa con una libreta similar a la suya. Al parecer, piensa que esa pertenencia en común le confiere el derecho a sentarse con nosotros. Es una mujer pequeña provista de unos senos que sobresalen formando un gran lomo de toro, esos que en las calles nos obligan a disminuir la velocidad. Con movimientos lánguidos y calculados enciende un cigarro y, sin que nadie le dirija la palabra, comienza a explayarse sobre las intimidades de un escritor chileno que vive en Sevilla.

Hace unos días mi padre me contó en su religiosa llamada semanal, que la tía Ana llegaba hoy. El domingo, para recibirla, habrá uno de aquellos abundantes y concurridos almuerzos familiares en la casa de mis padres. Nunca he entendido muy bien por qué insisten en reunirse, si lo cierto es que todos se aburren a muerte, no tienen de qué hablar y lo que pudieran decirse está enterrado bajo toneladas de convenciones.

Solo conozco a la tía Ana por una fotografía que tiene mi abuela en su velador. No obstante, esa única imagen ha ejercido desde siempre una extraña fascinación sobre mí. No he podido identificar exactamente qué me provoca ese efecto. Podría ser su postura desenfadada y alegre, o la ausencia total de tinieblas en su semblante, o quizás el sol estallando en el blanco del edificio a sus espaldas. Ahí, su mano enlaza a otra, la mano de un hombre que el circunstancial fotógrafo resolvió dejar en el anonimato. Quizás lo que me atrae sea la noción de que esa mujer tan diferente a mi madre, a sus amigas, a cualquier otra mujer que yo conozca, lleva mi apellido y es parte de mí. En el retrato, la tía Ana tiene prendido sobre su camiseta un escarabajo de plata. Yo tengo uno idéntico al suyo, que encontré en los anticuarios de la calle

Brasil entre una decena de chucherías. A pesar de la resistencia de mi madre —según ella se trataba de un prendedor de absoluto mal gusto—, salí con él enganchado en la solapa.

La entrometida ha ganado terreno y, de ocupar una silla periférica, ahora está sentada frente a Rodrigo. Si bien sus esfuerzos por seducirlo son evidentes, él no le presta mayor atención. Rodrigo tiene la delicadeza de brindarme cada cierto tiempo una caricia en la mano, una mirada de complicidad o una sonrisa. De todas formas todo este juego me aburre y después de un rato me levanto, tomo mi vaso de coca-cola light y me dirijo hacia la barra, donde he divisado a Gabriel.

—¿No quieres algo más fuerte? —pregunta Gabriel, al tiempo que señala con la barbilla la mesa donde Rodrigo capta la atención del grupo.

—Estoy acostumbrada —le respondo.

Gabriel es mi mejor amigo. Se está quedando en nuestro departamento por unas semanas; yo misma lo invité después de que rompió con su última novia. Aunque es uno de los hombres más sólidos que he conocido, siempre aparece ante el mundo como si tuviera la fragilidad de un recién nacido.

Mi coca-cola está tibia y ha perdido todo indicio de efervescencia. En cualquier caso, no necesito un trago fuerte para pasar este momento. Para Rodrigo ser galán de teleseries no significa gran cosa. Con el dinero que gana en la televisión quiere montar su propia obra de teatro, y me ha prometido que yo seré su primera actriz.

Desde la puerta del Oasis, que alguien ha dejado entreabierta, un aire helado me llega a la garganta en discontinuas vaharadas, como si un gigante de hielo estuviera expulsando su aliento sobre mí. En la mesa, ya incapaz de refrenar sus instintos, la mujer ríe a voz en cuello, a punto de arrojarse a sus brazos. La mirada de Rodrigo la atraviesa para clavarse en mí. Yo bajo la vista. A pesar de considerar toda la situación inofensiva, no puedo evitar un escalofrío ante la sola noción de perderlo. Resuelvo irme, mañana tengo un largo y tedioso día de ensayos. La compañía de teatro a la cual pertenezco monta *Edipo Rey*. En la obra no soy más que un mensajero, pero he hecho creer a todos que tengo el papel principal, el de Yocasta. Nadie lo sabe, ni siquiera Rodrigo. Tomo mi chaqueta y al despedirme de Gabriel, él me dice que no llegará a dormir. No menciona dónde pasará la noche, pero distingo un halo de misterio en sus ojos, aunque también una expresión sostenida, como si fuera a decirme algo; en lugar de eso, me abotona el abrigo y luego me da un beso en la mejilla.

—Te veo mañana —me dice y se queda mirándome con esos ojos suyos que conozco desde niña y que me recuerdan los ojos tristes de los payasos, ocultos tras sus sonrisas hechizas. Ojalá encuentre pronto una novia porque a Gabriel no le sienta bien la soledad.

Salgo inclinada para que Rodrigo no me vea partir. Odio jugar el papel del aguafiestas. Sin embargo, alcanzo a avanzar diez pasos cuando lo siento apurado que me toma de la cintura y caminamos juntos hacia nuestro departamento.

*

Cuando llegamos, Rodrigo me abraza. Son cálidos sus brazos, dulce su aliento. Sus besos se hacen más fogosos y descienden por mi cuello hasta alcanzar mis minúsculos pezones. Estamos de pie contra la puerta, la dureza de su sexo se incrusta en mi ropa, sus manos sostienen mis caderas, las empujan hacia sí y avanzan buscando mi entrepierna. «Mi Yocasta», balbucea con la respiración entrecortada. Sus palabras penetran en mis oídos como esos taladros que perforan las calles. A mi primer gesto de distanciamiento, él recula.

—No importa —me dice sin rencor aparente—. Igual estoy atrasado, tengo que volver a la filmación, faltan unas escenas exteriores que hay que hacer de noche. No te importa, ¿verdad?

Yo le doy un beso y le digo que estoy tan cansada que pronto estaré durmiendo. Que se vaya, que se vaya al fin del mundo si quiere.

Hace justo un mes que inicié esta horrible farsa. Recuerdo que la mañana antes de partir a la audición de *Edipo Rey,* hicimos el amor. Después Rodrigo me encaminó hasta las puertas del teatro y fue precisamente allí donde me juró que yo tenía talento y que obtendría el rol de Yocasta. Me lo juró y, por un momento, le creí. Después no fui capaz. Simplemente no lo fui. Si descubriera mi insignificancia, mi ineptitud, mi falta de talento, Rodrigo me dejaría. El día que me dieron el papel de Angelo, el niño mensajero, Rodrigo llamó a todos nuestros amigos y celebramos hasta la madrugada mi rol de Yocasta. Tengo suerte que el director, un francés que fue invitado a montar esta obra, en su afán de protagonismo haya instituido en torno a ella un verdadero enigma. De esta forma, dice, se crean más expectativas. Pero, cuando todo se descubra, ¿qué mierda voy a hacer? No puedo pensar. Se me nubla la cabeza, me oscurezco. Quiero comer.

Apenas Rodrigo cierra la puerta, un hilo de saliva empieza a descender por mi labio inferior. A través de la ventana veo desaparecer su moto por la esquina de Mosqueto. Hay nubes negras en el cielo.

Tendré que bajar al almacén de Don Rata, un hombrecillo silencioso que desparrama su tedio sobre el mostrador de su madriguera siempre abierta, siempre atiborrada de golosinas un poco añejas y empolvadas. Es repugnante, pero no tengo otra opción. Bajo las escaleras corriendo. Cuando alcanzo la calle me detengo. No puedo aparecer así, Don Rata con sus ojos vigilantes descubrirá el sudor en mis manos, el corazón acelerado de ansiedad, mi boca seca añorando un alimento para enjuagarse. Debo guardar la calma, intentar una sonrisa, idear una buena estrategia. Hay un silencio irreal, debe ser el viento tibio y violento que levanta las hojas de los plátanos orientales anunciando la lluvia. De pronto siento unos pasos que en pocos segundos se hacen más fuertes. El frío que he sentido todo el día se agudiza. Escucho una voz de mujer que grita mi nombre. Alguien me ha descubierto. Quiero esfumarme, desaparecer, morir. Me doy vuelta. Veo sus ojos punzantes sobre los míos.

—¿No van al bar esta noche? —me pregunta. Ahora la reconozco, es una alumna de la escuela de teatro que siempre ronda a Rodrigo; la ahorcaría, pero no sé qué fuerza divina me detiene.

—Ya estuvimos ahí. Qué pena, te lo perdiste —le respondo con sequedad y me quedo mirándola. La chica esboza una sonrisa y desaparece con la misma rapidez con que surgió. Estoy nuevamente sola en la calle. Veo mi monstruoso reflejo proyectado sobre el escaparate; aparto la vista, respiro hondo y entro.

—Por suerte su almacén está siempre abierto —le digo a Don Rata—. Rodrigo acaba de decirme que invitó a una tracalada de amigos y no tengo nada que darles. ¡Imagínese, a esta hora! Quiero tres paquetes de papas fritas, de los grandes, y cinco de maní, ¿tiene otra marca que no sea ésta? Ah, y unos cuatro paquetes de ramitas, de esas saladas que tiene allá arriba, y esos quequitos envasados, unos seis estarán bien. Déme también un pan de molde, mantequilla y unos trescientos gramos de queso. Además, necesito un pote de helado, hay uno de chocolate con avellanas que dicen no está nada de mal, un par de paquetes de galletas para el café y tres botellas de coca-cola.

Si bien yo no bebo, saco dos botellas de vino para hacer la visita de mis amigos más creíble. Salgo con tres bolsas grandes de plástico, dos con alimentos y otra con botellas; el asistente de Don Rata me ayuda a subirlas hasta el quinto piso. Cuando cierro la puerta, mi corazón se vuelve a acelerar, de un envión vuelco las bolsas sobre la mesa, ruedan los bollos, el pan, los paquetes de maní. Los ojos se me nublan, me tiemblan las manos, abro con urgencia los envoltorios, quiero ver ese túnel de alimentos donde solo yo puedo entrar. Miro el reloj, tengo tres horas antes de que llegue Rodrigo, para ese entonces no deberá quedar ningún rastro de todo esto.

Con el primer paquete de papas fritas me dejan de temblar las manos, luego abro el segundo y el tercero, una galleta tras otra entran a mi boca, incluso antes de empezar a masticar la anterior. ¡Dios, qué bueno está esto! Paz, ansiada paz que llega en oleadas colmando mi cuerpo, y si osa abandonarme, la traigo de vuelta con unas diez cucharadas de helado, atiborrando también mi cabeza, adormeciéndome, anulando cualquier pensamiento, cualquier atisbo de culpa. «Quédate», susurro, «así estoy bien, comiendo hasta saciarme», un sorbo grande de coca-cola y una pausa, solo un par de segundos para respirar hondo… y luego los quequitos que están algo duros, pero qué importa, son muy dulces y remojados en la bebida se deslizan por mi garganta. Poco a poco aminoro el ritmo, tendida sobre la alfombra miro el techo y mastico lentamente un trozo de pan, mientras introduzco mi cuchara en el plato hondo donde restos de helado comienzan a licuarse, he tragado prácticamente todo y allá al fondo, aplastadas por la inmensa cantidad de alimento que he ingerido, yacen por fin aplacadas mis emociones. Y entonces entro en mi castillo. Es una mañana soleada y por las ventanas se cuela la luz, reflejando en el piso los dibujos de los vitrales coloridos: pequeñas flores púrpura y asteriscos azules, estrellas anaranjadas de seis y siete puntas, nubes celestes y esponjosas cuyo reflejo en el piso de hierbas se vuelve un gran cojín donde me arrellano y descanso...

Pero mi reposo no dura mucho. El viento se ha puesto a golpear en las ventanas, no las de mi castillo, las de allá, donde yace mi cuerpo insensible sobre el piso de la sala. El estómago hinchado

me duele. No quiero abrir los ojos. Detente, sosie-
go, por favor no te vayas, acúname otro rato. No
me dejes. Con las manos tanteo alrededor en busca de algún maní perdido, unas papas fritas que pudieron habérseme caído con el apuro, unas migajas
de galleta, cualquier cosa que llene la última cavi-
dad de mi cuerpo y me lleve de vuelta a mi castillo.
Un relámpago ha cruzado el cielo partiéndolo en
dos mitades. Miro hacia la ventana, no la mía, por
donde entra el sol, sino que esta otra, la invernal.
Un lado del cielo ha quedado iluminado, el otro en
la penumbra. No puedo dejar de mirar ese trozo
oscuro que se abre como una cripta, por donde caigo, caigo irremediablemente, como Alicia en el país
de las pesadillas. Se ha puesto a tronar. Cierro los
ojos y cuento, uno, dos, tres, cuatro, cinco, no sé
por qué cuento, quizás para no escuchar la lluvia y
los truenos golpeando los vidrios, para no advertir
el andar de la muerte. A través de mis pupilas ce-
rradas, se filtra la luz de una cuadrilla de rayos que
siguen partiendo el cielo en mil pedazos, en mil hoyos oscuros por los que continúo cayendo.

De pronto el dolor perfora mi estómago,
un aguijonazo me rompe, me abro paso hasta el
baño con el cuerpo doblado hacia delante, lavo el
dedo índice de mi mano izquierda y lo meto hasta el fondo de mi garganta. La comida apenas
masticada y sin digerir sale de mi boca. Las olas de
alimento recorren mi cuerpo en el sentido inverso
y todo lo que dejé de sentir se transforma ahora en
un vómito maloliente que se adhiere a mis dedos,
a mi rostro, a la ropa. Después de unos minutos
me seco la mano y vuelvo a hundirla en mi garganta. Repito el proceso dos veces más, hasta que

el agotamiento puede más que mi afán y caigo de rodillas en las baldosas. Tengo un sabor amargo en la boca. Dejo caer la cabeza sobre el retrete, huelo muy mal, quisiera vomitar otra vez, pero estoy hueca por dentro. Siento las encías muertas por el ácido del vómito. Hace frío y mi cuerpo comienza a temblar. Me lo merezco, por haber perdido el control. Me levanto lentamente y golpeo el muro del baño con la mano empuñada hasta verla sangrar. No es gran cosa, aunque duele y eso es al fin y al cabo lo que una cerda como yo se merece. Me detengo, me apoyo contra el muro y cierro los ojos. Poco a poco mi respiración se vuelve más lenta y suave. Afuera llueve y yo estoy cubierta de mierda.

Tengo que sacar fuerzas para ocultar la evidencia. Me lavo los dientes con una pasta alcalina para atenuar el efecto del ácido. Limpio el baño, recojo los envoltorios diseminados en el piso de la sala, lavo mi ropa y la cuelgo sobre la cortina de la ducha. Me pongo un perfume barato. Hace tiempo que el papá renunció a regalarme frascos de Chanel N° 5 que después encuentra alguien en el cuarto de mi nana Marcelina. Finalmente saco la pesa que guardo bajo mi cama y me subo desnuda. La báscula indica que no he subido ni un gramo. Ahora puedo dormir. Miro mi cuerpo en el espejo del cuarto: no cabe duda, soy una actriz, finjo que soy alguien, pero en realidad no soy nadie.

Por la ventana miro los plátanos orientales que, bajo la lluvia de plomo, han adoptado un tono grisáceo, como fantasmas huyendo de la luz.

Ana

Jeremy la hace pasar con un aire distendido, como si el taxi no la aguardara con su maleta para partir a Chile, como si hasta hace solo dos semanas no hubieran vivido juntos, allí, en ese mismo departamento donde Ana ahora con paso inseguro intenta acceder sin hundirse. Franqueado el umbral, Ana se queda inmóvil en medio de la sala, con su gata en un brazo, frotándose la nariz como una desesperada con el otro (gesto propio de ella y que él ha observado y descrito alguna vez como una coma, una pausa para reunir fuerzas y salvar una instancia molesta), preguntándose adónde irá Jeremy esa mañana con los pantalones soberbiamente planchados, la chaqueta haciendo juego y una corbata amarilla, cuando ella sabe lo inusual que es en él vestirse con tanta formalidad. Pese a ser consciente de que su relación ha terminado, Ana quisiera abrazarlo y caer juntos en el sillón rojo, amplio y mórbido, murmurarle palabras al oído para excitarlo, provocar su risa y dejar atrás, a punta de besos, todo lo ocurrido. Observa de soslayo los ojos pálidos de Jeremy, que la miran desde un lugar al cual ella ya no pertenece, con una expresión de «asunto superado» que bien puede ser impostada, pero que aparece de una forma tan entera, tan avasalladora, que Ana siente un profundo abatimiento y, en lugar de abrazarlo, deposita lentamente a la Señora Palmer en el suelo. La gata se dirige hacia el sillón con un andar cansino, instala allí su cuerpo blanco y, apoyando su cabezota sobre un cojín de terciopelo, se los queda mirando.

—Acuérdate de que la Señora Palmer es friolenta, por más que no lo parezca, así tan gorda y peluda como es... —dice Ana con los ojos bajos y humedecidos, sabiendo que esos gestos, que surgen de improviso en medio de su aparente descreimiento, conmueven a Jeremy. Pero no esta vez. A pesar de la actitud despreocupada de Jeremy y el aire indiferente que le dan sus cejas levantadas, Ana adivina en sus manos inquietas y en su mirada huidiza, su deseo de terminar ese trámite lo antes posible. De todas formas, movida por su renovado espíritu heroico, mirando el techo como si repasara la lista de recomendaciones que debe darle sobre la gata, Ana se aventura a dar un paso hacia él. Ese desplazamiento los deja frente a frente. Quien se mueva ahora se expone a un eventual rechazo. Ella se frota la nariz y extiende la mano para despedirse, pero Jeremy de un tirón, la arrima hacia él. Es un beso delicado y confuso.

—No creas que te he perdonado —le dice con seriedad y luego despliega una de sus flemáticas sonrisas de inglés bien educado—. Es solo para que la Señora Palmer se quede tranquila y crea que todo está bien. Que todo sigue igual. Aunque ambos sabemos que es una gran mentira.

—Ya sabes le gusta dormirse con la televisión prendida —dice Ana antes de desaparecer por las escaleras.

En el trayecto hacia el aeropuerto se toma

una pastilla para dormir. Una de aquellas que guarda para los grandes sismos, esos que le roban la calma y rompen la justa distancia que guarda con los hechos.

*

Mientras camina los pocos metros que la separan del terminal, Ana vuelve a calcular en silencio los años. Veintiuno, exactamente. Debería estar emocionada, supone, soltar algunas lágrimas o al menos sentir alegría de estar al fin de vuelta. Levanta la vista y, al fondo, más allá de la losa y de la niebla, ve la fantasmagórica silueta grisácea de la cordillera. Un grupo de jóvenes la adelanta. Visten iguales, llevan el pelo engominado hacia atrás y hablan todo el tiempo saludando en sincronía con los brazos en alto, al modo de los ídolos. Un coro de voces expresándose con desparpajo en un castellano chilenizado, se cuela por una grieta de su memoria. Coge nuevamente su maleta con ruedas y apura la marcha. Dentro del edificio de inmigración hay una maraña de conversaciones. Se siente algo mejor que al partir. Gracias a la pastilla durmió todo el viaje, además, miles de kilómetros la separan ahora de Londres y de Jeremy. Está consciente de que el viaje a Chile se presentó en el momento preciso, cuando estaba a punto de sentir lástima de sí misma y, lo peor, a punto de implorar el perdón a Jeremy por algo que a fin de cuentas era inevitable. Fue Allan Jenkins, el director de arte de la revista del *Sunday Times,* quien la llamó. Por el asunto de Pinochet, Chile está otra vez en la mira, le dijo. Deseaba una nota sin tintes políticos para la sección de perfiles humanos. Ana le propuso fotografiar a diez personajes singulares de la sociedad chilena y él estuvo de acuerdo.

Un funcionario de semblante oscuro y cabello cortado como césped, le pide el pasaporte. En un estricto orden observa varias veces su rostro, la fotografía y la pantalla de un ordenador. Por fin se lo entrega, despliega una sonrisa y le desea una buena estada con ese mismo sonsonete que escuchó hace un rato atrás.

A través del vidrio de la sala de espera ve a Joaquín, su primo mayor, el único miembro de la familia a quien anunció su llegada. Una mujer está a su lado. Joaquín se desprende de ella y avanza con ese andar balanceante de los hombres altos a los que todo se les vuelve brazos y piernas. La mujer, en tanto, echa su cabello rubio hacia atrás y, alzando la barbilla, voltea la mirada hacia un punto indefinido de los cristales; tiene una nariz prominente que de perfil revela un rostro impetuoso.

—Bienvenida, prima... —dice Joaquín con voz clara y vibrante.

Más allá de él, Ana advierte los ojos azules de la mujer detenidos en ellos. Tal vez es esa mirada la que transforma un prometedor abrazo en un desmañado beso en la mejilla. Joaquín toma la maleta de Ana y caminan hacia donde la mujer ahora de brazos cruzados y batiendo su pelo de lado a lado, los espera sonriente. Joaquín las presenta y Cata, su mujer, que nunca antes ha visto a Ana, le da un estrecho abrazo, de aquellos que se acostumbran entre las antiguas amigas que han crecido juntas y que después de muchos años se encuentran.

Una vez en el automóvil, Joaquín y su mujer insisten en que Ana ocupe el asiento delantero para que vea mejor la ciudad. Por un rato hablan del viaje, del retraso, interrumpiéndose el uno al otro con torpeza hasta que de pronto, después de un incómodo silencio, Joaquín dice:

—Te hemos preparado una pieza que da al jardín, que tiene entrada independiente. Creo que vas a estar muy cómoda allí.

Rápidamente, Ana explica que desde Londres le reservaron una pieza en el Sheraton.

—Pero no es necesario, con nosotros estarás mucho mejor. Tú sabes, los hoteles son tan impersonales —la voz de Joaquín intenta ser amable, aunque de todas formas deja traslucir su desilusión—. Además, Cata se ha esmerado en decorarla. La hubieras visto, ayer se pasó toda la tarde en Franklin buscando una lámpara para la mesa de noche —recalca mientras mira a su mujer por el espejo retrovisor.

Ella suelta una risita ronca.

—Joaquín, cómo le hablas a Ana de Franklin, imagínate con esos anticuarios que hay en Londres: Portobello, Camden... —alega, exhalando un suspiro nostálgico.

—Bueno, la pieza ya está tomada... —insiste Ana.

—¡Ah! Pero eso se arregla en un minuto, ahora mismo anulo la reservación —dice Joaquín, al tiempo que toma el teléfono móvil adosado a la parte central de su auto.

—Tal vez ella quiera un poquito de independencia —interviene Cata con determinación antes de que él inicie el jugueteo de botones.

Joaquín, desistiendo de su impulso, vuelve

a mirar por el espejo retrovisor a su mujer, es una mirada exenta de sonrisas; ella se ha arrellanado en el asiento trasero y parece no tener intenciones de darse por enterada. Él aprieta el acelerador.

En secreto, Ana le agradece a Cata su contribución, aunque presiente que sus motivos no han sido del todo altruistas. Lo último que quiere es verse fagocitada por su familia. Sabe que si no está atenta, en un abrir y cerrar de ojos la pueden llenar de compromisos.

En tanto ha comenzado a llover. Avanzan por un Santiago que se ha vuelto desconocido para Ana. El horizonte es oscuro y en el pavimento mojado se reflejan las luces de los automóviles. El ruido del tráfico y de la lluvia atraviesa el cristal de la ventanilla. A lo lejos se encienden las luces y empiezan a surgir las cabezas desmembradas de los edificios, rasgando el paño gris del cielo. Ana pregunta por los hijos de Cata y Joaquín. Son tres. Daniela, la mayor, Hernán y Francisco. Cata se ve sorprendida ante la cantidad de información que Ana posee sobre sus hijos; no solo sabe sus edades, sino también ciertos hechos que solamente alguien muy cercano puede recordar. Ana les explica que es la abuela de los niños quien le envía noticias de ellos en sus extensas cartas. Noticias que ella lee con suma atención, puesto que son los hijos de su primo más querido. Ante estas palabras, Joaquín despliega una sonrisa, reparando en parte su ánimo que había quedado averiado unos minutos antes por la negativa de Ana. Pronto, casi sin darse cuenta, el automóvil se detiene a las puertas del Sheraton.

Frente al hotel, el río Mapocho tiene un tono plomizo, disparejo y turbio.

*

Ana despierta sobresaltada. Una reja negra apareció en sus sueños y no puede sacársela de la cabeza. Tras esta vio un jardín con vuelos de flores. En el centro de ese jardín, una casa blanca resplandece sobre un fondo de tinieblas, como si el cielo se hubiera abierto en ese sitio y un rayo de sol la apuntara desde lo alto. Es la casa del abuelo, ella lo divisa por una ventana abierta del primer piso sentado en su butaca de cuero, la misma de siempre, solo que su mirada azul y alerta de antaño, está ahora perdida en una lontananza inexistente. Son acaso sus últimos días y la demencia senil ha serenado sus rasgos. En la quietud de la estancia, los rayos de sol juguetean en el piso de madera. Sobre la mesa, junto a la vidriera, una taza de porcelana y un par de tostadas señalan que es la hora del té. Ana piensa entonces que tan solo un gesto bastaría. Solo tiene que sentarse junto a él, coger sus manos y retener ese instante para finalmente retornar. Pero no puede. O no quiere. La imagen de su abuelo se esfuma y frente a sus ojos aparece el cielo negro a través de la ventana de su hotel.

No podía el abuelo en ese entonces sospechar que esa niña con quien pasaba horas examinando palmo a palmo los mapas del mundo, se ganaría la vida durmiendo en un lugar y despertando en otro. Y no podía sospechar tampoco, que esas rutas que surcaban mares y montañas, desiertos y bosques, despertarían en ella el desasosiego, el rechazo a la inmovilidad y a las anclas. Es posible, piensa Ana con cierta tristeza, que después de todos estos años, Chile sea solo uno de los tantos países por donde ha andado. Un viaje cuyos puntos de partida y de retorno no son distintos de los demás; y que como los anteriores, se volverá una anécdota, un pintoresco recuerdo en su memoria.

*

Es una mañana despejada, aunque por la quietud en la terraza puede adivinarse que hace frío. Joaquín la llamó a eso de las diez, debía verla lo antes posible, le dijo con una impaciencia que salía a borbotones entre sus palabras. Ahora parece más calmado, pues, mientras enfilan hacia el comedor del hotel, incluso se detiene un par de veces a saludar a algún conocido. El comedor está casi desierto, solo se divisan uno que otro hombre de negocios y cuatro mujeres al fondo que, por su alboroto, parecen estarlo pasando muy bien. Una vez sentados, Ana y Joaquín advierten que una de las mujeres arroja una servilleta al suelo y sin despedirse de las otras, abandona la mesa. Unos altos tacones negros hacen cimbrar su cuerpo de lado a lado. Al pasar frente a ellos, la mujer se detiene y saluda a Joaquín con efusión, mientras dirige furtivas miradas hacia el lugar donde sus amigas la observan con una mixtura de mofa y rabia.

—Son unas brujas —dice, dirigiéndose a Ana—. No tienes idea de las cosas que están diciendo de ti. ¿Tú eres Ana Bulnes, verdad? —Ana asiente con una sonrisa y la mujer continúa—. Te vieron en el diario.

—No puedo creerlo —dice Ana—. No llevo ni veinticuatro horas y ya soy famosa. ¿Salí en el diario?

—Ya te muestro —interviene Joaquín con un gesto algo ofuscado.

—No te preocupes. Joaquín, dile a la Catita que la llamo esta misma tarde, ¿ya? Bueno, me voy, esas brujas me dejaron de mal humor.

La mujer se aleja con su cimbreo, que parece desplazar de un lado a otro los cuchicheos flotantes de sus amigas.

Al verla desaparecer tras las puertas del comedor, Joaquín despliega un periódico sobre la mesa. Pero Ana se ha detenido en unas finas arrugas que señalan el contorno de su boca.

—Mira —la insta Joaquín al observar que Ana no le ha prestado mayor atención al diario.

Una fotografía de Ana tomada en el aeropuerto aparece en el periódico. Los anteojos oscuros y el largo abrigo negro que escogió del guardarropa de su amiga Elinor, le dan un aire trágico. No está mal, piensa, nunca está de más un poco de fatalidad. También hay una fotografía de sus padres, que están con apariencia de aristócratas venidos a menos.

—Fue por los futbolistas —dice Joaquín.

—¿Cuáles futbolistas? —pregunta Ana, entre consternada y divertida.

—Los que venían en tu avión. Había un ejército de fotógrafos en el aeropuerto. ¿No te diste cuenta?

—La verdad es que no, solo los vi a ustedes. Bueno, más a ti que a Cata.

Joaquín esboza una sonrisa que no alcanza

a llenar su rostro, como si se avergonzara de sentir placer ante aquellas palabras en esas circunstancias tan serias.

—Uno de ellos debió haberte tomado esa foto y después algún editor tiene que haber armado toda la historia. No pierden oportunidad de hacer noticia —dice tajante.

Ana coge el diario y lee el texto en voz baja.

—Son unos cretinos —masculla Joaquín.

—No te amargues, primito. Da lo mismo. Si quieren hacer intrigas que las hagan, mejor para mí. Si algún día vuelvo a vivir a Chile, ya voy a ser conocida. Además, no está tan mal, dice aquí que me codeo con la aristocracia europea y que soy famosísima como fotógrafa —concluye, soltando una larga carcajada. En ese instante un mozo se aproxima a ellos con una jarra de café.

—¿De veras no te importa que digan esas cosas del tío? —pregunta, intrigado.

—¿De mi padre? No. Él es un hombre adorable. Yo lo quiero mucho, pero que hizo una estafa, la hizo, y para nadie es un secreto que tuvo que salir arrancando de Chile.

—Qué fría, Ana —afirma él, sin amago de disputa.

—No creo que sea frialdad. Ya lo pasé bastante mal, es suficiente. No pretendo ser víctima de nadie.

Ella percibe un leve temblor en la garganta de Joaquín.

Afortunadamente para Ana, su primo desvía el derrotero de la conversación. Habla de aquellos tiempos que precedieron a «la fuga», como la llamaron algunos, el «autoexilio» como lo llamaron otros, ese tiempo que él añora, según dice, cuando ambos eran niños y el abuelo con sus gestos grandilocuentes les hablaba de la Libertad con mayúsculas, sobándose los bigotes que eran tan lacios y espesos como el pelaje de un gato. Llegado un punto, Ana le pregunta por Cata. Le pareció una mujer muy buenamoza, le dice, y Joaquín asiente con una sonrisa a medio camino. También hablan de sus niños, pero pronto están de vuelta en el pasado. Ana tiene la impresión de que Joaquín oculta algo, encuentra extraña la forma apresurada y evasiva que tiene de responder a sus preguntas cuando ella intenta saber de su vida, de su familia, de su trabajo, insistiendo en que además de ser un oculista de renombre, tener tres preciosos hijos que ama profundamente, una mujer ejemplar en infinidad de aspectos y una vida tranquila, no tiene mucho más que contar; en cambio, sí le interesa escucharla, saber con detalle cómo han sido para ella estos veintiún años en que se perdieron de vista. Quiere saber qué se siente cuando se lleva una vida como la suya, sin familia, errando por el mundo con una cámara fotográfica sin tener que responder frente a nada ni nadie. Ana ríe al escuchar las descripciones que Joaquín hace de su vida que, expresadas así, la vuelven una caricatura, aunque tampoco están tan lejos de la realidad.

—Oye, esas tres de la mesa del fondo no hacen ningún esfuerzo por disimular su interés en nosotros —susurra Ana, señalándolas solapadamente con un gesto de los ojos.

—Son amigas de Cata. Bueno, Cata entre

que las adora y las odia. Me da risa, deben estar pensando cualquier cosa.

—Que soy tu amante, por ejemplo.

—Exacto.

—¿Y te molesta?

—No, en absoluto. Me divierte.

—Entonces que se diviertan ellas también —dice Ana, extendiendo su cuerpo por sobre la mesa para darle un beso. Los labios de Joaquín son suaves. Han temblado al contacto de los suyos, rescatando de sus recuerdos un beso anterior.

Partía a Londres al día siguiente y se despedían escondidos bajo la escalera. Recuerda que lo tomó de los hombros, cerró los ojos y puso sus labios sobre los de él largamente, como quien intenta reconocer un sabor o guardar el recuerdo de un aroma. De pronto, lo apretó contra su cuerpo. Bajo la camisa, el corazón de Joaquín latía sin orden, sin ritmo. Después de unos segundos se desprendió de él y salió corriendo. Sus padres se despedían en la puerta. Ana abrazó al abuelo. Joaquín se había quedado atrás y la miraba. Su expresión y la palidez de su rostro la asustaron; tenía los ojos llenos de agua y su camisa blanca se había desprendido del pantalón. Se veía enfermo y Ana pensó que se estaba muriendo. Siempre que sus padres recibían carta de Chile, ella preguntaba si alguno de la familia había muerto. Su padre con una mueca de enfado le respondía que era una morbosa; su madre, en cambio, la miraba estremecida.

—Sigues siendo la misma —escucha decir a Joaquín.

—¿Eso es bueno o malo?

—Ese beso me va a traer problemas... —dice Joaquín no exento de picardía. Sus ojos brillan, abre la boca para decir algo, pero luego se detiene.

—Qué, dime, qué me quieres decir —se aventura Ana.

Con un movimiento de cabeza, él se niega a continuar hablando. Sin embargo, ante la insistencia de Ana, pregunta:

—¿Recuerdas tu cuaderno, tu diario de vida?

—¿Qué sabes tú de mi diario?

Entonces Joaquín le cuenta, interrumpiendo su relato con breves y contagiosos accesos de risa, que cuando la tía Estella, la madre de Ana, encontró el diario, lo primero que hizo fue mostrárselo a la suya. Ambas mujeres se encerraron en una pieza y la tía Estella comenzó a leer en voz alta. Joaquín, con una vergüenza retrospectiva que hace sonreír a Ana, le explica que no lo había hecho nunca antes, pero que esa vez se quedó al otro lado de la puerta escuchando lo que decían.

—La tía Estella leía y se detenía a cada instante gritando al cielo, ¡cómo puede ser tan inmunda mi hija! y otras tantas cosas por el estilo. Mi madre intentaba calmarla, pero al mismo tiempo la apuraba para que siguiera leyendo. Después de un rato ya no paraba, leía como una loca —y aquí Joaquín ya no puede contener las carcajadas—. Creo que estaban pegándose la calentura de su vida.

—¿Y tú?

—Yo también.

Las tres mujeres de la mesa del fondo han pedido sus abrigos. Elegancia no les falta. Esa elegancia mesurada que identifica a las mujeres de una cierta clase social en cualquier parte del mundo.

Sin embargo, el exceso de maquillaje y lo esmerado de sus peinados les confiere, ante los ojos de Ana, un inconfundible aire local.

—Aunque te parezca insólito, yo tengo tu diario y aún me parece, cómo decirte... bueno, increíblemente erótico.

La frase de Joaquín queda flotando en el aire cuando las tres mujeres se acercan a su mesa. Probablemente escucharon esas últimas palabras porque entre ellas se cruzan miradas cargadas de turbación y complicidad.

Joaquín se levanta a saludarlas. Ana observa sus gestos que de tan adecuados llegan a ser artificiales. Después de dedicarle a cada una de ellas algún elogio y desatar más de una sonrisa, introduce a Ana como la prima «perdida y recuperada», palabras que la hacen pensar en los tesoros de Indiana Jones.

—Y la Catita, ¿cómo está? Hace tiempo que no viene a nuestros desayunos de los jueves, ¿le pasa algo? —pregunta de pronto una de ellas, haciendo rebotar su mirada en los ojos de Joaquín para ir a caer filosamente en los de Ana.

—No, nada. Tú sabes, está atareadísima con la nueva colección de invierno.

—Te vimos en el diario —señala otra, dirigiéndose a Ana sin ningún amago de cortesía.

—Sí, ya sé, Joaquín me lo mostró —dice Ana con una sonrisa.

—Debe ser terrible llegar y tener ese tipo de publicidad.

—La verdad es que me da lo mismo —afirma Ana, batiendo su pelo en son de indiferencia.

—Yo que tú no estaría tan tranquila, no

tienes idea lo que es este país —dice una de ellas en un tono confidencial.

—¿Ah, sí? Por favor, cuenta —dice Ana, divertida del curso que ha tomado la conversación.

—Bueno, cualquier tema se transforma rápidamente en escándalo. Es terrible —le replica la mujer, con una expresión donde intenta conjugar su fastidio con una presunta complicidad.

—Pero no creo que yo sea un «tema» muy interesante, soy más bien fome.

—¿Ah, sí? —pregunta una con ironía.

—Definitivamente —dice Ana, tajante.

—Lo dudo —replica otra, lanzando una mirada, primero a Ana y luego a Joaquín.

En ese instante quien parece liderar el grupo, una mujer más alta y garbosa que las demás, se despide de Joaquín y las otras la siguen.

Cuando las tres mujeres desaparecen, Joaquín y Ana explotan en una carcajada.

—Te lo dije —profiere Joaquín entre risas—. Están horrorizadas.

—¿Por lo del beso?

—Son un grupo de chismosas profesionales y no importa lo que hubiéramos hecho, igual nos abrían pulverizado.

Después de una pausa, Joaquín vuelve a arremeter.

—Lo que no entiendo, Ana, es de dónde sacabas esas cosas.

—¿Qué cosas?

—Las que escribías en tu diario.

—Las imaginaba.

—Pero eran detalles que una niña de trece años no podía saber.

—No las sabía. Me imagino que es como preguntarle a alguien cómo es que sabe comer o besar. Se sabe y punto.

—Con la diferencia que tú lo escribiste en tu diario.

—Supongo que esa es la diferencia entre el loco y el cuerdo.

—¿Cuál?

—El cuerdo no dice lo que piensa ni lo que siente.

—Es un mentiroso entonces.

—Yo diría cauteloso.

—Sin duda, yo pertenezco a ese grupo: mi mayor osadía fue quedarme un verano en la casa del abuelo, en lugar de irme de vacaciones con mis amigos. ¿Lo recuerdas? Era una oportunidad única. En las noches leía tu diario y en el día era el primo mayor que todos admiraban por su increíble paciencia para enseñar piruetitas en el agua a los primos chicos, especialmente a ti, claro.

—¡Cochino!

—Pero tú lo sabías de sobra —dice él, pasándose los dedos por el pelo—. Plantabas tu toalla a un par de metros de donde yo estaba y te embetunabas con crema todo el cuerpo, y hacías todo esto, por supuesto, sin mirarme ni una sola vez. Eras una niña muy cruel.

—Lo soy —dice Ana.

Ana siente cómo resucitan las mismas sensaciones de aquella tarde cuando su madre llegó a casa con su diario. Lo guardaba debajo de su almohada y jamás imaginó que alguien tendría la indecencia de sacarlo de allí sin su consentimiento. Tal atropello a su intimidad le parecía mucho más vulgar, pervertido y enfermo (palabras que usó su madre para describirla) que las historias que narraba allí. Después de su larga perorata, la tomó de una muñeca y la arrastró al baño, llenó la bañera, la desnudó y la metió a la fuerza; el agua caliente la quemaba. Con una escobilla para lavar ropa restregó su cuerpo mientras repetía que era una cochina.

Ahora, Joaquín cuenta cómo al día siguiente llegó una vez más la tía Estella con el diario y, después de leerlo hasta el final, lo tiraron a la basura. Lo que ellas nunca supieron, y Ana tampoco hasta este instante, fue que Joaquín lo recogió. Aún lo conserva, y promete devolvérselo.

El recuerdo de su madre restregando su cuerpo la ha ofuscado. Por fortuna pronto están hablando de la casa del abuelo. La casa está en venta hace dos años y, según Joaquín, el precio que piden es tan elevado que nadie se interesa por ella. Propone visitarla juntos antes de su partida.

—Me encantaría —suspira Ana, recordando esa extraña visión de la noche anterior.

—¿Por cuánto tiempo vienes? —pregunta Joaquín súbitamente sin mirarla a los ojos, mientras saca una billetera de su chaqueta. A pesar de la liviandad que ha intentado darle a su pregunta, Ana nota ansiedad en su voz.

—¿Ya me estás echando? —ríe Ana—. Bueno, no debiera demorarme más de una semana en hacer el reportaje. Eso es todo lo que me financia el diario. Siete noches en este hotel y punto. Además, a la vuelta tengo un montón de trabajo pendiente.

Joaquín advierte que se ha hecho tarde. Debería estar hace rato en su consulta. Cuando ya se ha puesto el abrigo, le informa que ese domingo habrá un gran almuerzo familiar para ella en su casa.

Ana lo ve alejarse con su andar desmembrado de hombre alto. Pide un martini y enciende un cigarro. No quiso decírselo (acaso por no dejar escapar una suerte de melancolía que llegó en sutiles oleadas), pero lo cierto es que él tampoco ha cambiado. Su risa tiene la misma timidez y llaneza de antes. Sin embargo, a pesar de haber disfrutado de esos recuerdos compartidos, siente ante ellos una cierta distancia, como si todas esas anécdotas le hubieran ocurrido a otra persona. Recuerda un cuento de Henry James que leyó hace un par de meses. En el cuento, un hombre retorna a Nueva York después de veinte años de ausencia. Al llegar allí, lo asalta la obsesión por saber cuál habría sido su destino si se hubiese quedado en su tierra, se pregunta incluso quién dejó de ser al partir y, sobre todo, si su ausencia lo convirtió en un hombre mejor o peor del que pudo haber sido.

No se lo ha planteado hasta ahora, pero sospecha que todo ese asunto de recuperar las raíces y la pertenencia, son conceptos meramente abstractos. Al final, aquello que se deja por mucho tiempo no permanece intacto; aun más, la mayoría de las veces desaparece. Es imposible —aunque acaso es lo que desea— volver después de veintiún años y encontrar las ventanas de la casa del abuelo abiertas al sol, y ese olor a tabaco negro que todos detestaban, y que a ella la hacía soñar con tierras remotas. Es imposible encontrar en el mismo sitio los libros de barcos y galaxias, y la voz del abuelo señalando las rutas dibujadas en el cielo. La realidad es efímera, piensa. La suya está hecha de mil islas que le permiten saltar de una en otra, o huir cuando alguna de ellas se hace insoportable o tediosa. Es, advierte con cierto optimismo, esa posibilidad de metamorfosis y movimiento la que la mantiene viva.

Un tipo pequeño y bizco sentado en una mesa cercana, sin sacarle la vista, habla por celular, levantando la voz y gesticulando con las manos. Ana juega con su anillo que tiene la imagen del león de Venecia, regalo de Jeremy. De niña, Joaquín era sin duda su conquista más fácil, pero también estaban los amigos de su padre. Como el embajador de Perú a quien, sin que nadie se diera cuenta, exhibió toda una noche el triángulo de algodón rosado de sus calzones. Recuerda el sudor recorriendo la frente del embajador, su conversación, en un principio erudita, desmadejándose hasta convertirse en monosílabos, mientras ella, sentada en uno de los sillones de felpa, encubierta por sus trenzas de niña, jugueteaba con un dedo en la boca. Por las circunstancias y el decorado, (un descomunal ramo de rosas blancas que su madre había dispuesto en la mesa de centro) presume que esa fue una de sus conquistas más refinadas y, acaso, el primer atisbo del inmenso poder que era capaz de ejercer sobre los demás. Recuerda esa certeza que de pronto se instaló en su cuerpo y en su mente, la certeza de que todo lo que había sido o dejado de ser hasta ese instante tenía un objetivo: hacer que ese hombre la deseara hasta romperse. Era la primera experiencia de ese placer arrebatador, un placer que movilizó todos sus sentidos hacia las fronteras de sí misma, volviéndola poderosa y vulnerable, desalmada y dulce al mismo tiempo. Un placer que buscaría una y otra vez en el transcurso de su vida y que de alguna forma ensombrecería todos los otros.

Recuerda también a Horacio, el secretario de su padre. Cómo olvidarlo. Con su terno de paño gris un poco gastado y ese cuerpo hecho para las grandes películas de Hollywood. No entendía cómo tanta belleza y perfección podían estar al servicio de su soporífero padre. Horacio tenía una parquedad poco usual en un joven de su edad. La saludaba apenas y luego continuaba su camino; muchas veces ella hacía como si no lo hubiera visto, o lo saludaba con un gesto mínimo de la cabeza, manteniendo así el engaño de una indiferencia perfecta. Horacio le producía inquietud y curiosidad. Era un deseo ficticiamente provocado, pues la idea del deseo antecedía al deseo mismo de conocerlo y tocarlo.

El secretario y su padre pasaban largas horas encerrados en el despacho. Ana se divertía ese verano correteando con su gato en el jardín, apenas provista de un diminuto traje de baño, atenta a los ojos de Horacio que, clavados a la ventana, la observaban. Después de la sesión de trabajo, su padre invitaba a Horacio a tomarse un trago para así continuar la charla en un ambiente más relajado. Una forma, según el parecer de Ana, de hacerlo trabajar horas extras sin tener que pagarle más. Por la tarde, aplicada en sus labores, Ana los esperaba en la sala. En ese tiempo su madre estaba empecinada en que bordara su propio ajuar para ese matrimonio futuro que sin duda llegaría: tres pares de sábanas, tres almohadas, tres toallitas, tres camisas de dormir, que aún a los treinta y cinco años no ha tenido ni la más remota ocasión de usar.

Horacio tenía una voz pálida y fina, como imaginaba ella la voz de los poetas, de los amantes cautos, de los tímidos apasionados. Conversaban en la sala, su padre sentado en su poltrona roja (la misma desde donde ella había seducido al embajador), mientras que Horacio permanecía de pie, de espalda a la chimenea prendida. Su voz llegaba a los oídos de Ana en notas dispares, expresivas y emocionantes. Seguía sus discursos gozando de su mente clara, de su dicción afortunada, pero sobre todo de las fantasías que surgían al observarlo y que constituían el material de su diario. Había olvidado por completo a ese hombre que tenía la apariencia física de Horacio y que ella reconstruía en su cabeza, imaginando cada gesto, cada caricia, a la justa medida de su deseo, un incansable explorador de su cuerpo, un ser insolente y al mismo tiempo solícito, cauteloso, pero temerario a la hora de meterse a la cama. No puede evitar sonrojarse al recordar la esencia carnal de aquellos pasajes que por las noches escribía en el más profundo de los secretos. Sin embargo, con el tiempo, empezó a predecir los argumentos de Horacio, descubrió que eran siempre los mismos, aunque emplazados en diferentes escenografías, haciéndolos aparecer de esta forma inéditos. Comenzó también a anticipar sus gestos, adivinando cuándo levantaría la mano y acentuaría una idea, cuándo miraría a su rincón y se detendría en ella.

Es idiota y ciertamente inútil pensar esto

ahora, pero Jeremy, a quien acaba de dejar o perder o superar —no está segura cuál de estas calificaciones es al fin y al cabo la apropiada—, ha sido el hombre más próximo a ese ser que de niña inventó en su diario.

—¿Usted no es chilena, verdad? —pregunta de pronto el mozo con una amplia sonrisa.

—Sí. Sí soy.

—No lo habría pensado jamás y eso que tengo un ojo infalible para estas cosas. Usted no habla ni parece chilena y, sobre todo, nunca me habían pedido un martini al desayuno.

—Qué horror, por lo que me dice, creo que aquí me va a ir bastante mal —afirma Ana, echándose a reír.

—Pero de qué se preocupa, con esa risa suya seguro que llega a cualquier parte —le dice el hombre antes de desaparecer.

Ana se queda pensando en las últimas palabras del hombre. Riendo puede llegar a cualquier parte, porque las lágrimas, esas que aún esconde de rato en rato, no son bien recibidas en este mundo.

Al mirar por la ventana, Ana descubre que, a excepción de un pequeño rincón dorado que recuerda el resplandor del verano, la terraza bajo la fría luz del sol tiene un tono azulino opaco.

Cata

Llegó Ana, esa prima de Joaquín que vive en Londres. Y lo peor es que mis amigas no han parado de llamarme porque salió en el diario. Su padre estuvo metido en una estafa. De eso hace un montón de años, pero fue algo espantoso. Se han dedicado a contarme historias de ella, cosas que ni en la familia sabíamos; imagínese que fue amante de un ministro británico. Casado y todo. ¿Se da cuenta? Se arrancaba con él a Grecia. Parece que lo volvía loco, él era capaz de cualquier cosa por ella. La Tere me contó que una vez la invitó a comer a su casa, con su señora y sus hijos, y ella tuvo la desfachatez de aceptar.

¿Cómo puede Tere saber esas cosas? Bueno, muy simple, es amiga de la señora del embajador en Inglaterra.

Pero le voy a contar algo horrible. Algo nada de cristiano, que me avergüenza... Es uno de esos sentimientos que si no estuviera en terapia quedaría escondido en el fondo de mi conciencia y yo misma pretendería que no existe. No sé cómo decírselo...

Bueno. Lo único que yo quería, le juro, era que Ana estuviera hecha un estropajo, una vieja decrépita, un desecho humano. Sí, ya sé, ya sé. Lo dije. No era tan difícil. Imaginé que esa vida de trasnoches, desenfreno y drogas dejaría algún estrago en su apariencia. Pero no. Apenas la divisé en el aeropuerto me di cuenta de que tenía ese típico aspecto de mujer consentida por la vida, como si la hubieran estado mimando las doncellas de Cleopatra. La hubiera visto, traía un terno de hombre y no llevaba nada, absolutamente nada abajo. Joaquín no podía despegar la mirada de su escote. Sí, sí sé, hay miles de mujeres como ella en el mundo, más jóvenes y estupendas que yo, pero no sé por qué la presencia de esa mujer, desde que Joaquín me anunció que venía, me ha trastornado de esta manera. Quizás sea la cercanía que tuvo con Joaquín. Sí, claro, eran muy unidos antes de que ella y su familia se fueran a Londres. Es lo que todos cuentan. Se pasaban horas escondidos en los rincones de la casa de su abuelo. Y eso que Ana es bastante menor. El asunto es que desde la llamada de Ana, Joaquín está como loco. Imagínese que ayer, antes de ir al aeropuerto a buscarla, se cortó el pelo en una de esas peluquerías de moda. Le hicieron un corte ultramoderno. Ojalá pudiera verlo, se ve ridículo...

Supongo que tengo que profundizar en esto. Saber por qué Ana me desestabiliza de esta forma.

Para empezar, Ana es tema de conversación en todas, absolutamente todas las comidas y almuerzos familiares que, como usted sabe, son bastante frecuentes. Sí, fíjese, es extraño que no la haya mencionado antes. Debe ser porque estaba lejos. Era como un fantasma.

Todos en la familia, a excepción de Joaquín, dicen desaprobar su estilo de vida. Pero lo cierto es que se fascinan con las historias que llegan de ella. Para colmo, Joaquín organizó un almuerzo familiar este domingo. Le juro que me duele el estómago de solo pensar que voy a tener que soportar un día entero sus aires de europea. Ya imagino a mis cuñadas intentando esconder su provincianismo, su pechoñería, haciéndose pasar por mujeres modernas y liberales, porque ahora todos quieren ser modernos y liberales, ¿se ha dado cuenta? Mientras sus mariditos se pondrán idiotas mirándole las pechugas, y sus gestos de gata consentida, y esa manera que tiene de mover la boca, como si estuviera lamiendo las palabras...

¡Dios mío!, si me dejo llevar por lo que siento, me vuelvo un monstruo...

Por supuesto que no me gusta tener toda esta basura en la cabeza. Preferiría que ella me importara un comino, pero no es así...

Yo solo la conocía por una foto que tiene la madre de Joaquín en su pieza. No me gusta mirarla. Hay en su rostro una expresión arrogante, como si el mundo entero estuviera a sus pies. No sé, su mirada es descarada, directa y a la vez etérea. Pareciera que todo es posible en su vida... y eso, creo, es lo que siempre me ha producido malestar...

¿Qué quiero decir con eso? Algo muy simple. Es lo que yo sentía cuando era joven. Sí, si sé que aún soy joven, pero yo le hablo de los veinte años. Eso es ser joven.

Ayer en la tarde, por esas cosas increíbles de la vida, me pasó algo que tiene directa relación con esto. Tengo claro que no es casualidad. Lo más probable es que si yo no estuviera atenta a lo que me ocurre, ese momento habría sido diferente, o pude incluso no advertirlo. ¿Ve que estoy aprendiendo?

Estaba en la cocina preparando un postre y llegó Francisco. Se paró frente a mí y con voz implorante me pidió que apagara el cielo, que hiciera llegar pronto la noche para ver monitos en la tele. En la casa tenemos una regla: no prender la tele durante el día. Le respondí que yo no podía, que no era cosa de humanos eso de apurar la noche. Entonces mirándome a los ojos con rabia, me dijo: «Tú puedes, mamá, tú puedes hacer lo que tú quieras. No lo haces porque no quieres».

Le juro que casi me puse a llorar ahí mismo. Yo siempre creí que podía hacer lo que me propusiera, y sobre todo, lo que me diera la soberana gana. Tuve que prender un cigarro, algo que no hago nunca antes de la hora de comida.

No sé cómo explicarlo, sentí que alguien me había engañado todo este tiempo, haciéndome creer que era yo quien tomaba las decisiones de mi vida. Y ahí estaba con el bol de plástico en la mano, en mi inmensa y preciosa cocina, mirando mi jardín, aquel que yo misma diseñé rincón por rincón, pero no era yo quien lo había decidido así, sino que una suerte de mandato escrito mucho antes de que yo naciera y que seguía su curso inexorablemente. Y vi a Ana en el aeropuerto caminando hacia nosotros con esa actitud desprendida, ligera, con su minúscula maleta en las manos, y supe que todo a su alrededor era transitorio, intrascendente, y que en cualquier instante ella podía dar media vuelta y desandar lo andado, o simplemente cambiar de rumbo.

Todas estas cosas pasaron por mi mente mientras Francisco a mi lado, con una tristeza tranquila, insólita en un niño, insistía en que produjera el milagro. Lo tomé en brazos a pesar de que ya está bastante grandote y lo apreté contra mí, fuerte, fuertísimo y por suerte, poco a poco me fui aliviando.

Francisco, con esa lucidez inocente de los niños, había revelado de una forma instantánea el motivo último de mi angustia. Esta angustia que llevamos meses intentando entender en estas sesiones. Él, con su carita de ángel, me pedía que yo, ultrapoderosa, acelerara el curso del día. Y en ese instante reviví por una décima de segundo ese poder que había sentido antes, cuando era niña... ese poder que no sé cómo diablos se fue desvaneciendo, hasta convertirse en la nada misma.

¿Sabe? De pronto se me pasó por la cabeza que, comandada por ese destino del cual le hablé, yo misma me había llenado de lazos. Miles de primorosos envoltorios, llenos de perfectas rositas, claro, del más inmaculado buen gusto, pero que me fueron aprisionando y me fueron ocultando, hasta que yo, la Catalina, esa niña pecosa, segura de sí misma, destinada y dispuesta a las grandes cosas de la vida, simplemente desapareció. En su lugar apareció la niña Buena, con mayúscula, luego la adolescente aplicada y después la mujer exitosa y perfecta.

Aunque antes de eso, yo vivía colmada de fantasías que se harían realidad tarde o temprano. ¿Quiere que le diga algo? Mi futuro era una gran bola, que contenía infinitos y apasionantes momentos. Estaba convencida de que yo era la elegida y mi vida no sería como la de todas mis compañeras...

¿Se da cuenta? Y ahí estaba, batiendo el chocolate amargo para el postre de la noche. Una noche que sería igual a la anterior y a la anterior y a la anterior... Joaquín y yo, uno frente al otro, callados. Si usted nos viera creo que entendería un montón de cosas. Él tiene siempre un aire cansado y una mueca de tedio, que solo ahora, ante la llegada de Ana, se han diluido un poco. En todo caso, si quiero ser justa, estoy segura de que mi expresión no es muy diferente a la suya.

Y mientras seguía batiendo, a pesar de las inmensas ganas de llorar, también sentí alegría. Supongo que por haber palpado mi brío perdido y haber recordado a esa niña pecosa... Aun cuando sé que toneladas de lecciones bien aprendidas la hicieron desaparecer de la faz de la tierra.

¿Sabe? Incluso esa noche cuando estaba sentada en la mesa frente a Joaquín, intenté traerla de vuelta una vez más. Me conformaba con sentirla un segundo, saber que todavía estaba ahí. A la hora del postre aspiré el aroma del chocolate, el mismo que preparaba en la cocina cuando Francisco me pidió que hiciera la noche. Pero fue inútil. Allí estábamos Joaquín y yo, y él me preguntaba cómo iban las cosas en mi tienda, y yo le respondía que estupendamente, que mis diseños de esta temporada estaban haciendo furor, que incluso estaba vendiendo más que la Rosa de Honorato. Y, claro, siempre es halagador ver la sonrisa complaciente de Joaquín, esa admiración por mi gusto y mi instinto comercial que él ciertamente no posee. Entonces, poco a poco, con sus preguntas, y la brecha que él me abría para hablarle de mí misma y mis logros, fui olvidando a la pecosa.

Es todo muy complicado, ¿ve? No es que quiera «recuperar mi niña interior», esa frase relamida que usan mis amigas cuando quieren hacer una idiotez. Es otra cosa. Es una suerte de nostalgia por todo lo que no fui y no seré al vivir esta vida que estoy viviendo, y que no me desagrada; al contrario, usted sabe que vivo muy bien. Es acaso la necesidad de ser nuevamente sorprendida por la vida, por doblar una esquina y descubrir algo que no había visto nunca antes, sentir una emoción, conmoverme hasta los tuétanos. Sentí nostalgia por subirme al techo de mi casa como hacía de pequeña en secreto, y quedarme mirando la luna hasta que se perdía en algún cerro y solo entonces, volver a mi cama con la sensación de haber presenciado algo crucial, de haber vivido un momento único e irrepetible, que era tan solo mío.

¿Nunca le había contado eso? Vaya, creo que lo había olvidado.

Ana

Una noche más de insomnio tumbada con los ojos abiertos sobre la cama. No ha querido tomar un somnífero de los fuertes, de aquellos que le embotan la cabeza y los sentidos. A pesar de sus esfuerzos por mantener a Jeremy en la trastienda, él acude todo el tiempo, se asoma a sus ojos, haciendo que todo a su alrededor adquiera un velo opaco y pierda su volumen real. Expuesta a los recuerdos, de pronto la ventana oscura de su pieza se ha vuelto un telón para ese lejano episodio en París.

Recuerda a Jeremy caminando unos pasos más adelante, empecinado en encontrar una vieja librería de textos científicos del siglo diecinueve. Por más que ella intentaba seguirlo, no lograba mantener su ritmo vigoroso y ya empezaba a cansarse. Tras un par de horas de búsqueda, Jeremy, sin siquiera mirar atrás, desapareció tras una portezuela. Entonces, en un afán de medir fuerzas, de marcar territorio (esos juegos pueriles de los amantes que la mayoría de las veces no llegan a buen fin), Ana se quedó afuera esperando que de pronto, echándola de menos, Jeremy asomara la cabeza. Pero no lo hizo. Cuando una hora después emergió con un atado de libros en los brazos y la encontró allí, sentada en el borde de la acera con los zapatos en la mano, la miró con una mezcla de

desconcierto y ternura. Como si en el transcurso
de ese tiempo sagrado hubiera olvidado su existencia, la existencia del resto de los seres humanos
y ahora, al verla, se deleitara con su aparición. En
ese invisible reto de poderes Ana había perdido,
pero no porque Jeremy fuera un mejor contrin-
cante, sino porque él nunca entró en el juego.

Sin embargo, unas cuadras más adelante, él
se detuvo en la mitad del puente Vivonne y, exactamente cuando ambos advirtieron la sombra de
una nube sobre el agua, él dejó los libros en el suelo
y la estrechó con tal intensidad, que le hizo perder
el aliento, y de la hondura de aquel abrazo emergió
su voz entrecortada por una emoción que Ana no
entendía, que había surgido de la nada, de esa ca-
minata pacífica avistando vitrinas, aspirando el aire
limpio que había dejado una lluvia reciente, mirando ese cielo azul tan propio de París, con sus nubes
extraídas de un cuadro, y allí estaba Jeremy estre-
chándola, y su rostro no era el mismo, semejaba un
niño a punto de dejarse llevar por el llanto, pero
también un hombre que contenía su emoción para
no parecer ese niño, y fue entonces cuando le dijo:
«Mierda, creo que me enamoré de ti, Ana».

*

Es Cata quien ahora la ha recogido en su
automóvil para llevarla al gran almuerzo en su casa, y su voz transpone el cerco de somnolencia que
ha dejado la noche. Mientras avanzan, Cata señala —no precisamente con orgullo, pero sí con un
dejo de pertenencia—, diversos lugares de la ciudad, señalando con su voz suave el mejor lugar

para tomarse un café, la panadería francesa y la nueva embajada de Estados Unidos.

Por lo menos en este almuerzo verá a toda la familia de una vez, calcula Ana mientras escucha a Cata. Luego tendrá que dedicarse de lleno a su trabajo. Se lo explicará a Joaquín con todas sus palabras, así no dará pie a sentimientos encontrados. De vuelta en Londres, Aaron, su representante, le ha organizado una estrecha agenda. «No sé qué sucede, todos los medios quieren hacer fotos contigo», le dijo la última vez que estuvieron juntos. Y Ana, emulando la flema inglesa, saboreó sin parpadear su victoria, cerró la puerta del despacho de Aaron, y tan solo cuando estuvo lo suficientemente lejos como para que nadie de la agencia la viera, se puso a saltar de alegría. Su trabajo es lo único que le pertenece, además de la Señora Palmer, su gata. Y sabe muy bien que la única forma de mantener esos frágiles laureles sobre su cabeza, es olvidándose de todos y de todo.

Afortunadamente, a través de una revista local ya contactó a Fernando, un periodista joven que la ayudará con la elección de los retratados. En esa primera conversación concordaron al menos en cinco: una dirigente sindical, un poeta que vive en los cerros de Valparaíso, el guardián de la casa de Neruda en Isla Negra, un artesano de Horcón y un connotado científico.

—¿Recuerdas este barrio? Es donde vivía tu abuelo. Joaquín insistió que viviéramos por aquí, dice que le gusta caminar por las mismas calles de cuando era niño.

Y es ante estas palabras de Cata que Ana, con sorpresiva emoción, detiene sus pensamientos.

Avanzan despacio por El Golf, y, de pronto, en una perfecta sincronía, como si fuera parte del periplo elaborado por Cata, el automóvil alcanza las puertas de la iglesia en el instante preciso que estas se abren y una multitud emerge al término de la misa del domingo. Con el corazón latiendo a un ritmo más acelerado de lo normal, Ana advierte que todo lo que allí sucede es, hasta en sus más mínimos detalles, idéntico al recuerdo que guarda de su infancia. Los mismos grupos, que se observan unos a otros con una mezcla de familiaridad y desconfianza; los mismos cuchicheos que no puede oír, pero sí observar en los gestos solapados y risueños; los mismos jóvenes con sus chaquetas azules de botones dorados y cabelleras bien peinadas, junto a sus jovencitas de faldas escocesas. Y al comentárselo a Cata, usará expresamente la palabra falda en lugar de «pollera» —término tan empleado en el círculo de su madre, y que distinguía a la «gente bien» de los «otros»—, porque al salir de Chile descubrió que «pollera» en España es un cesto para guardar pollos y en México, una mujer que trafica inmigrantes ilegales.

Un par de cuadras más allá, Cata se detiene ante un amplio portón.

La casa de ellos ocupa toda una esquina. Desde el exterior se ven los grandes árboles del jardín. Tras la reja cubierta de madreselvas, dos hileras de rosas conducen a la puerta principal donde Joaquín las está esperando. El salón de la entrada es amplio, decorado con justeza: baldosas de color terroso y un par de mesurados cuadros de pintura moderna. Hay mucha luz a pesar del tamaño reducido de las ventanas. Joaquín le da un beso a

Cata y luego toma a Ana de un codo. Dos chicos se persiguen uno a otro creando un pequeño alboroto a su alrededor; sin embargo, ante un leve gesto de Cata ambos se detienen. El mayor, después de pasarse la mano por el pelo revuelto para volverlo a su lugar, extiende la mano para saludar a Ana; luego, con un sorprendente acento de disciplina y sentimiento del deber, el menor hace exactamente lo mismo.

—Ellos son Hernán y Francisco —dice Joaquín.

—Hernán, como mi padre —dice Ana, desordenando el cabello rubio del más alto—. ¿No te importa, verdad? Eres muy lindo.

El chico se queda a su lado sin protestar, animado incluso por la caricia de Ana en su cabeza.

—Son los primeros sobrinos que conozco —les dice, mirando a uno y otro—. Les traje un regalo, tendrán que compartirlo.

Ana saca de su bolso una cámara de fotos que dejó de usar hace tiempo, aunque siempre lleva consigo a modo de amuleto.

—Es una Leica, es chiquita, pero toma fotografías magníficas.

Hernán, el mayor, la coge cuidadosamente con ambas manos, como si recibiera un ser vivo.

—¿Cómo sabías? —pregunta. Sus ojos brillan y Ana le advierte con una mueca que intenta ser monstruosa, que tenga mucho cuidado, porque ella lee los pensamientos.

Una joven está apoyada en el dintel de la puerta. Tendría aspecto de muchacho si no fuera por una larga trenza cobriza. Lleva un par de jeans gastados que caen sobre sus caderas y una camiseta blanca que deja ver su estómago hundido y su ombligo adornado por un anillo color oro. Tiene sombras azules bajo sus ojos y los extremos de metal de sus botas vaqueras están a punto de desprenderse.

Ana advierte que mientras ella y Joaquín conversan con los niños, la mirada de Cata se ha detenido en la chica.

—Ella es Daniela. Los dejo, tengo algunas cosillas que hacer en la cocina. Daniela, ven conmigo un poquito —dice Cata de pronto y ambas desaparecen por una de las puertas del pasillo.

Joaquín invita a Ana a la terraza.

El jardín tiene un tono aceitunado, uniforme y denso.

Daniela

—Oiga, usted podría haberse arreglado un poquito. Sé que no debo meterme, pero es que hoy viene toda la familia...

—...

—Daniela, por favor, no me mire con esa cara de odio —se disculpa mi madre mientras pone sus manos sobre mis hombros e intenta una sonrisa conciliadora.

Me sorprende la actitud poco confrontacional de la Reina Madre. Venía preparada para cualquier cosa, incluso para que me expulsara del paraíso. Lo hice a propósito. Me vestí lo más parecida que me fue posible a la imagen de la tía Ana que mi abuela tiene sobre su velador. Incluido el escarabajo de plata.

En el pasillo se escuchan las voces de mis tíos y mi madre me pide que los vaya a recibir. Llegó la hora de salir a escena. En un abrir y cerrar de ojos ya están todos en la terraza: tías, tíos, primos, primas. Seguramente vienen saliendo de misa, razón por la cual llegaron en masa. Los niños corren en el jardín, como animales desbocados después de un largo período de encierro. Los adultos, con sus copas en la mano, parlotean con la tía Ana. Ella se ríe mientras mi hermano Hernán, quien desde su llegada no se ha despegado de ella, la mira como a una heroína del

Cartoon Network; tiene algo de eso la tía Ana, algo de heroína del espacio.

—Hola —digo con un saludo general y todas las miradas se vuelven hacia mí.

—¿No has traído a Rodrigo? —pregunta la Coti.

No sé qué hace aquí la Coti, una de esas mujeres que para reivindicar su existencia un tanto patética, habla de sí misma todo el tiempo. A pesar de ser su mejor amiga, la Coti es el opuesto de mamá. No creo conocer a nadie que tenga tanta conciencia del ridículo como mi madre. Odia los gestos ostentosos, los aromas recargados, los colores chocantes, los sabores que arrebatan. Mi madre odia muchas cosas.

—Tenía filmación, va a llegar después de almuerzo —respondo.

—¿Quién es Rodrigo? —pregunta la tía Ana, interesada. Su sorpresiva curiosidad hace que me sonroje. Había esperado con ansias que notara mi presencia, pero, de pronto, sus ojos sagaces y fijos en mí me han turbado.

—Es el novio de Daniela, uno de los hombres más guapos de Chile —replica la Coti, escondiendo su mirada tras un par de anteojos Gucci. Yo devuelvo su cumplido con una de mis sonrisas más angelicales.

—Y más famoso —agrega una de mis tías, parpadeando con dificultad como si le pesaran las pestañas.

La tía Ana continúa mirándome con interés.

—¿Cómo va *Edipo Rey*? —me pregunta Peter Pan, mi padre, con una voz lo suficientemente alta como para que todos escuchen. Sin

esperar mi respuesta, continúa hablando envane-
cido—. Daniela tiene el papel de Yocasta, es increíble que se lo hayan dado a ella, ¿no creen? Es
tan joven.

Yo le digo en silencio que somos todos jóvenes y que, además, los he engañado porque tengo el papel más miserable de toda la obra.

—Bien —respondo casi en un susurro para acabar de sentirme irremediablemente imbécil.

—¡Salud por Ana! —exclama un rato después mi padre. Algunos de mis tíos levantan sus
copas, mientras aprovechan la oportunidad de mirarla. Es difícil observar a la tía Ana de frente; tan
descarnada es su forma de mirar.

*

Después del almuerzo los niños salen nuevamente al jardín. Las tías y algunas amigas siguen
a mi madre en su *tour* por la nueva ampliación: un
corredor y una sala para «reunir a la familia por las
tardes», según sus propias palabras. Los tíos, con
sus calvas incipientes, se arrojan al bar en busca de
sus «bajativos», que en lugar de hacer decrecer sus
panzas, las hará aún más voluminosas.

La tía Ana se saca las botas y echa a andar
hacia el jardín. La diviso desde la terraza mientras
fumo escondida un cigarro. Hernán, al verla, se
acerca con una pelota de fútbol en las manos. La
tía Ana se arremanga los pantalones y de un
puntapié arroja la pelota tan lejos, que se pierde de
vista. De pronto todos los niños la persiguen riendo, ella corre con ligereza y aplomo, como si
estuviera habituada a desplazarse descalza; los

niños la pellizcan y la baten al suelo haciéndole cosquillas. La tía ríe con una tonalidad ronca y estruendosa, apretujando a los niños contra su cuerpo uno por uno, mientras ellos se pelean por tocarla. La tía Ana se levanta recomenzando la correría, y su blusa blanca se ha entreabierto, dejando al desnudo una fracción de sus pechos. Todos la miramos. Los tíos con sus calvas, sus panzas y sus vasos de coñac en las manos se han asomado a la terraza, en tanto que las señoras detenidas en el nuevo corredor, dejan escapar sus miradas fulminantes por las ventanas. El único que no presencia esta escena es mi padre, que salió hace unos momentos a dejar a una vieja tía a su casa. En un momento dado, escucho a mi madre diciendo con actitud distraída:

—Se ve tan sana, ¿no es cierto? —se detiene un segundo para comprobar si ha atraído la suficiente atención y continúa—: Es increíble, nadie lo diría. Con todas las cosas que se mete en el cuerpo.

Un par de tías la miran con expresión de repugnancia, pero la mayoría no ha advertido sus palabras, porque la tía Ana y los niños, exhaustos, han caído al suelo. La tía tiene los brazos extendidos y los ojos cerrados. Tumbada en medio del jardín me recuerda a Ofelia. Pastos, ramas y flores penden de su pelo rojo ensortijado, pequeñas gotitas de sudor brillan en su rostro con la luz de la tarde. Se produce un silencio. El aire tiene de pronto esa ilusoria vacuidad de los sueños. Nadie se mueve, ni siquiera los niños que han permanecido del mismo modo, con los ojos cerrados, diseminados a corta distancia de ella. Hay algo a la vez terriblemente vivo y muerto en aquel césped jaspeado de cuerpos. Al cabo de unos segundos la tía Ana abre los ojos. Se levanta con una elegante indolencia, saca las hojas de su cabello y se encamina a la terraza. Mi hermano Hernán la escolta unos pocos pasos más atrás. Los tíos y tías no han dejado de mirarla; es gracioso ver a una de mis tías con la boca semiabierta que, aprovechando la concentración de todos, se ha sacado un zapato para descansar sus juanetes. La Reina Madre, siempre atenta a su corte, se apresura a ofrecer otra ronda de bajativos.

La tía Ana me sonríe. Es una sonrisa fosforescente. Se sienta a mi lado, hunde una mano en su opulenta y rojiza masa de pelo y la echa hacia atrás para despejarse la frente. Hernán también se sienta con nosotras. Tengo la sensación de que se han cerrado las cortinas del teatro y solo quedamos ella, mi hermano y yo en la intimidad del escenario vacío.

—Alguna vez tuve un prendedor exacto al tuyo —dice ella de pronto. Por un instante pienso en confesarle que lo llevo precisamente por eso, pero opto por callar.

Me pregunta si vivo con mis padres, y yo le cuento que vivo con Rodrigo hace dos años.

—Debió de ser terrible para tu papá y tu mamá —me dice con tono alegre y confiado.

Yo sonrío asintiendo y le relato someramente el contexto: los ocho años de diferencia, el barrio donde vivo. Ambas nos reímos porque sabemos lo que eso significa para nuestra familia. Ella comenta que dejar todo esto no debió ser nada fácil, al tiempo que señala el jardín y luego a

Hernán, y yo le digo que fue más fácil de lo que me había imaginado, aunque sí debo admitir que a veces echo de menos algunas cosas, como mi ropa impecablemente planchada en el clóset y los kuchenes de mi madre.

—¿Sabes? —comienza a decir aspirando el cigarrillo con energía y deleite—. Mirarte me hace pensar en mí hace muchos años. Te puede parecer terriblemente autorreferente, pero es verdad, más aún con ese escarabajo que para mí tuvo un significado muy especial porque me lo regaló el primer chico que me dio un beso.

—¿Quién? —pregunto resuelta a saberlo.

—No debiera decírtelo, supongo. Pero te lo voy a decir.

Acerca su rostro a mi oído y en un susurro me dice:

—Tu papá.

—No me sorprende para nada —le digo. Y ambas sonreímos con la cabeza gacha como si pretendiéramos ocultar nuestro nuevo secreto.

Es tan sencillo estar con la tía Ana, parece que nos hubiéramos conocido desde siempre y solo estuviéramos poniéndonos al tanto de las últimas noticias de nuestras vidas. Guardamos silencio mirando el sol que desaparece tras los árboles del jardín. Es un silencio pacífico que revela lo cómodo que nos resulta estar juntas. Se cumple lo que yo siempre creí saber o, al menos, desde aquel día que vi la foto en el velador de la abuela: la tía Ana llegaría y su presencia, de alguna forma que no podría incluso ahora prever, haría que las piezas de este inmenso rompecabezas empezaran por fin a calzar.

*

La mayoría de los tíos se ha marchado. Solo la Coti y un par de hermanos de mi padre y sus respectivas señoras han tenido el privilegio de ser convidados para la hora del té. Por la tarde, la tía Ana le pide a mi madre que le enseñe la casa. Mi padre y yo nos quedamos con ellos en la sala. De tanto en tanto, él mira impaciente en dirección al segundo piso hacia donde la Reina Madre y la tía Ana se han dirigido. Por fin, después de un rato, descienden las escaleras: la tía con la gata Malea colgada de su hombro, mi madre unos pasos detrás de ella. Me pregunto qué habrá ocurrido allá arriba para que mi madre olvidara su sonrisa de anfitriona y su rostro empalideciera de esa forma. Seguramente le molesta que Malea, su posesión exclusiva y por lo general tan arisca, esté rendida a los encantos de la tía.

Rodrigo viene llegando. Coti se apresura a saludarlo. Me da un poco de pena verla corriendo a pasos de pato con esos tacones altos donde terminan con dificultad sus piernas elefantiásicas. Rodrigo la saluda afectuoso, pero su mirada se ha detenido en la tía Ana. Pronto estarán conversando animadamente. Siempre ocurre así. Abrir las puertas, oler un poco, arrojar unas cuantas frases que tienen la exacta textura de las confidencias sin realmente serlas, crear momentos intensos y efímeros que lo cargan de potencia y luego partir. Rodrigo no comete la idiotez de ser sincero.

Lo más probable es que le cuente a la tía Ana que es actor, que hace teleseries, pero que lo suyo es el teatro. Me confiere una mirada afable mientras hablan. Marcelina trae la bandeja con la tetera de plata, las tazas de porcelana y el kuchen preparado por mi madre. Nos sentamos todos otra vez a la mesa.

Durante el té, uno de los hermanos de mi padre, el tío Antonio, le pide a la tía Ana que explique el trabajo que vino a hacer a Chile. La mira con expresión desconfiada, como esperando escuchar una declaración subversiva.

Para él, y debo admitir que para la mayoría de los miembros de mi familia, todo lo foráneo es amenazador, sobre todo si tiene que ver con esos periodistas curiosos y malintencionados que se han dedicado a desacreditar a Chile, para qué hablar de la prensa inglesa que no ha tenido ecuanimidad alguna a la hora de analizar el caso de Pinochet, con sus conclusiones tendenciosas y sus comentarios mentirosos —todo esto se lo escuché decir al tío Antonio en un rincón, solapado, porque no tiene los cojones de decírselo a la tía en la cara—. Ella, ignorante o acaso consciente del oculto sentido de la pregunta del tío Antonio, responde que el objetivo del reportaje es mostrar algo de Chile. Solo eso. Una mirada como cualquiera otra. Quiere retratar personas anónimas que hacen cosas, labores que pueden parecer insignificantes o intrascendentes, pero que no lo son. Habla moviendo las manos, recalcando cada palabra con una pausa o un tono de voz más agudo. A pesar de la intensidad que utiliza para decirlas, sus palabras dicen muy poco, no nombra a nadie en particular y deja a todos contentos.

—Por supuesto —dice el tío Antonio—.

Eso está muy bien, gente sencilla que trabaja en lo suyo —lo dice sin mucha convicción, dudando si él y la tía se refieren a lo mismo.

Pero mis sentidos se agudizan cuando escucho a la tía Ana mencionar sus preparativos. Cuenta que tiene que ir a Valparaíso a fotografiar a un poeta, luego a Horcón, donde vive un magnífico artesano, y terminar en Isla Negra fotografiando al guardián de la tumba de Neruda. Y lo peor es que aún no encuentra un asistente que la acompañe.

—¿Y qué tipo de asistente necesitas? —pregunto.

De pura agitación prendo un cigarro en la mesa. Máximo sacrilegio. Mi madre le echa una mirada contundente a mi padre, cargada de ese enfado encubierto que solo yo y mis hermanos conocemos. Ya que sus intentos han sido infructuosos, pareciera que es él el encargado ahora de enderezarme. Mi padre levanta los hombros y al persistir la mirada de la Reina Madre sobre él, simula no verla.

—Nada muy especial, alguien que sea razonablemente eficiente, que sepa manejar y me oriente un poco por las calles, imagínate que en Santiago me pierdo... bueno y que me ayude con los equipos...

—Ah —digo, cubriendo con una mano los restos de una tostada que he desmigado durante la conversación.

—¿Nada más? —pregunto mientras negocio en silencio con mis deseos.

—Bueno, y que sea adorable —ríe la tía Ana.

Entonces cierro los ojos una fracción de segundo y, como aquel que intenta atravesar al otro lado de una quebrada y no tiene más alternativa que respirar hondo, extender las piernas y luego saltar para alcanzar la otra orilla, le digo que yo puedo acompañarla. Rodrigo y mi madre me miran con perplejidad.

—¿Pero no tienes ensayos todos los días? La protagonista no puede desaparecer así como así —pontifica Rodrigo con el peso de la experiencia.

—El director tiene un resfrío horroroso y se cancelaron los ensayos hasta que esté mejor, temen que pueda complicarse, tú sabes, los franceses no están acostumbrados a estos virus chilensis... —sonrío, sorprendida de lo rápido con que esgrimí la mentira y lo convincente de mi inflexión. En tanto, la tía no ha dicho nada y me doy cuenta de que mi salto no ha sido apropiado, que no medí bien la distancia entre un borde y el otro, y ahora resbalo por el filo de la quebrada.

—¡Genial! —la escucho decir, y sus palabras como en los dibujos animados, me sostienen en el aire antes de despeñarme, y me depositan nuevamente en tierra firme.

No sin dificultad, la charla ha iniciado un nuevo curso: la belleza del jardín, variando su rumbo hacia los comentarios del tiempo y luego en dirección al deterioro del barrio. Una charla que marcha segura y conveniente por un insípido mar. Miro a los demás. Rodrigo se rasca la cabeza desesperadamente; a su lado, una de mis tías intenta llamar su atención hablándole y moviendo los brazos como una gallina; el tío Antonio, en tanto, no despega sus ojos despiadados y ligeramente saltones de los pechos de la tía Ana. Con excepción de sus preguntas iniciales, el tío Antonio ha permanecido la mayor parte del tiempo callado. Algo inusual en él porque siempre tiene firmes y cretinas opiniones sobre todo; en la cabecera, mi madre se mantiene como siempre, fresca, inmutable, sublime.

Y yo, seguramente con una sonrisa parecida a la del gato de Chesire, observo un horizonte allá lejos, más allá de la mesa, de sus voces y sus risas, más allá de la ventana y del jardín, donde está dibujada la ruta de un viaje con la tía Ana.

El cielo, bajo mi mirada, tiene ahora el tono azul del futuro.

Cata

No sé cómo empezar, son tantas las cosas que pasaron en el almuerzo del domingo. Sí, supongo que es mejor no intentar darle un orden. ¿Se acuerda de que le comenté de mis temores con respecto a Ana? Pues yo tenía toda la razón. Para resumirle, después del almuerzo, no sé cómo, Ana terminó revolcándose en el pasto con todos los niños. Los hubiera visto. Se apretaban contra ella, la manoseaban, rodaban por el pasto unos arriba de otros. Con el zarandeo, se le subía la camisa y se le veían los pechos y el ombligo. Mis cuñados la miraban sin poder creerlo. Estoy segura de que estaban atroces de calientes. Uno de ellos transpiraba como un loco y disimuladamente se pasaba un pañuelo por la frente. Imagínese.

¿Qué siento con eso? Repulsión. Eso siento... Claro que estoy segura. Eran niños, ¿entiende?

Ah, usted cree que para los niños es un juego como cualquier otro, pero usted no estaba ahí, no vio las caras de mis cuñados. Era atroz. Cada cosa tiene su contexto, ¿se da cuenta? Si eso mismo hubiera ocurrido en una playa sería aceptable, pero no en un almuerzo de domingo y menos en mi casa. Le juro que la escena fue de verdadero mal gusto. Por suerte, Joaquín había ido a dejar a una de sus tías y no vio nada.

Lo más increíble es que ella no se daba por

enterada. De pronto se paró y, con ese andar de odalisca, como si solo ella existiera en el mundo, se fue a sentar en un rincón de la terraza con Daniela. Por más que mis cuñados esperaron a que siguiera con otra de sus locuras, Ana no se movió del lado de mi hija. Se quedaron un buen rato en la terraza conversando. Cuando la mayoría de mis cuñados ya se había ido, Ana se levantó y con una expresión implorante, me dijo que quería conocer el resto de la casa. ¿Se da cuenta la desfachatez? Toda su actitud se había vuelto mansa, doméstica, a años luz de esa hembra salvaje que se había revolcado en el pasto.

¿Sabe una cosa? Ana maneja sus movimientos, su voz y sus expresiones como si fuera la mismísima protagonista de una ópera. Calcula y conoce el exacto efecto que provoca en su auditorio. Yo también soy buena para eso, usted sabe, ya lo hemos hablado en otras sesiones. ¿Pero sabe cuál es la gran diferencia? A ella le importa un comino dejar en el escenario, a vista y paciencia de todos sus espectadores, el maquillaje, las plumas, los disfraces, las evidencias mismas de su artificio. En cambio, yo me paso la vida escondiendo cualquier señal que pueda delatarme. Nadie, ni siquiera Joaquín, se imagina las horas que me paso en la peluquería, en el gimnasio, en la cosmetóloga, en la masajista, en el pedicuro, etcétera. Mi apariencia y mis gestos deben aparecer absolutamente naturales, como si no me implicaran ningún esfuerzo ni premeditación, como si hubiera sido tocada por la gracia de Dios. Qué relajo, pensé. Y me sentí tan estúpida.

Por eso mismo, a mí Ana no me engaña.

Supe al instante que esa domesticidad suya era parte de su acto, el contrapunto perfecto a su comportamiento tan desatinado. Una combinación, que no puede negar, la vuelve un ser inclasificable y sorprendente..., ¿me entiende? De todas formas acepté mostrarle la casa. No sabría explicarle por qué. Al principio, yo misma quería terminar lo antes posible ese ridículo paseíto. Mi casa es preciosa, aunque no de un estilo que a una persona como Ana podría interesarle. Pero, ¿sabe? A pesar de todos mis reparos, al cabo de un rato su sensibilidad definitivamente me sorprendió. Le llamaban la atención los detalles que yo más aprecio, esos que la mayoría de las personas no son capaces de ver.

Bueno, por ejemplo, la acuarela de un cielo que encontré en un anticuario y que colgué frente a un espejo de una forma tal, que al mirar su reflejo produce una sensación de vértigo. Nadie antes lo había notado.

El momento más memorable, más desconcertante quiero decir, se produjo en la terracita de mi pieza. Ana se apoyó en la baranda del balcón y se quedó mirando el jardín. Mi jardín. ¿Se da cuenta? Como si hubiera sabido lo que significa para mí. Sin despegar la vista de un ciprés, se puso a hablar con una voz que era como lejana; no sé, parecía dirigirse a mí y también a alguien ausente. «Si entrecierro los ojos me parece como si estuviéramos en el sur». Eso dijo. O algo muy parecido a eso. Yo le respondí que era lo que siempre había pensado, pero que nunca se lo había dicho a nadie. Me sorprendió, qué quiere que le diga. Era como si ella me pudiera leer la mente.

De pronto, extendió la mano y sin mirarme a los ojos, me entregó un anillo de oro con la imagen de un león. Apenas vi el anillo, supe que se trataba de una pieza no solo de valor material, sino también de una belleza única. Ella tenía una expresión como indefensa en el rostro. Le pregunté por qué me lo daba. «No sé», me dijo, apretando sus manos a su cuerpo como si una súbita ráfaga de frío la hubiera invadido. Se veía tan frágil. Hizo una pausa y luego, con rapidez, como volando por sobre las palabras para quitarles el peso que pudieran tener, dijo: «Será porque tu casa es preciosa y tienes unos hijos sensibles y bellos, y porque tal vez te envidio un poco y antes de envidiarte prefiero que tú me quieras».

Yo no podía creer lo que escuchaba. Recordé todos los horrorosos comentarios que había hecho de ella durante el almuerzo y me sentí pésimo. También, reconozco, sentí una pizca de satisfacción. Yo tengo algo que Ana nunca tendrá: una familia y el amor incondicional de mis tres hijos. Y por muy colmada que esté su vida de excitación, de aventuras, amores, viajes, y todas esas cosas, Ana me envidia, ¿se da cuenta? Envidia mi estabilidad y mi mundo apacible, y por qué no decirlo, mi vida convencional.

Entonces hice algo de lo cual ahora me arrepiento, aunque si lo pienso, ¿qué otra cosa podía hacer? Me acerqué a Ana con la intención de darle un abrazo, pero, cuando ella levantó la cabeza, todo había cambiado. «Soy una maldita sentimental», exclamó riendo, mientras se echaba el pelo hacia atrás. Usó la palabra «maldita», y aunque reía, había algo inquietante en la forma que lo dijo. Justo en ese momento mi gata Malea se acercó a nosotras. Malea pasó frente a mí sin mirarme y se arrimó a las piernas de Ana. Después de tomarla y sobarle el lomo, Ana la colgó de su hombro, como si se hubieran conocido de toda la vida. Malea puso su abundante trasero de gata bien alimentada entre los cabellos de Ana, en una actitud que oscilaba entre un loro y un ovillo de lana. Nunca había hecho algo así con un extraño. Después, Ana se puso a caminar hacia la escala. Yo la seguí escalera abajo y cuando llegamos al primer piso, Rodrigo venía entrando. No tuve tiempo de decirle algo; además, no hubiera sabido qué decirle.

¿Qué sentí con lo de Malea? Tuve que reconocer a pesar mío, que Ana seduce hasta a los gatos. Pero, ¿sabe? No me importó mucho porque todo el asunto me hacía sentir más bien orgullosa. Por más esfuerzos que hicieran mis cuñadas por aparecer ante Ana como mujeres intelectuales, liberales, sensuales, todos los «ales» juntos del mundo, era a mí a quien ella había dado ese maravilloso anillo veneciano.

Solo una cosa echaba a perder la satisfacción que sentía: Daniela. No se lo comenté antes, pero durante todo ese tiempo que pasaron juntas Daniela y Ana sentadas en la terraza, yo no pude despegar los ojos de ellas. No sé, hablaban bajito, como si compartieran secretos y el rostro de Daniela se iluminaba. No exagero. Incluso cuando no se decían nada, se sonreían, parecían tan cercanas y de un modo tan sereno. ¿Sabe? La visión de mi hija con esa mujer me hacía doler el estómago.

Cuando pienso en Daniela siento angustia, no puedo evitarlo. Y por eso creo yo, no le hablo mucho de ella. Sí, sí sé que estoy aquí para hablar de esas cosas que no son bonitas, pero creo que a usted también he intentado mostrarle lo mejor de mí. Lo hago, supongo, para que no se desilusione, para mantener su atención. Usted sabe, lo usual en mí, para que me admire, aunque sé perfectamente que buscar su admiración es un esfuerzo que juega en contra mío.

    ¿Quiere que le hable de Daniela? Está bien.

    Daniela fue un accidente. Fue por ella que Joaquín y yo nos casamos. Es el único evento de mi vida que no logré planear. De todas formas nos habríamos casado, aunque Daniela precipitó las cosas. Yo creo que eso ha marcado siempre nuestra relación. Y por más que he sido cuidadosa en no manifestárselo, creo que al fin y al cabo ella siempre lo ha sentido. Daniela es una niña diferente...

    Bueno, desde chica era retraída, o más bien distante, aunque al mismo tiempo era muy dulce. Siempre intentaba agradarnos a Joaquín y a mí. En el colegio se sacaba las mejores notas del curso. Pero a ella esas cosas parecían no importarle, no se sentía para nada orgullosa y le molestaba cuando yo hacía un comentario al respecto.

    Recuerdo una vez que la llevé a ver *Madame Butterfly*. Ella por supuesto no podía entender las palabras, pero lloró prácticamente toda la ópera. Cuando salimos, me dijo que ella en lugar de suicidarse, hubiera matado al hombre que la abandonó. Recuerdo bien su semblante cuando pronunció la palabra «matar». Su expresión contenía una rabia que apenas entraba en su rostro de niña, y que me estremeció. La abracé y le dije que a ella nadie la abandonaría jamás. Daniela sonreía con ironía y me miraba con una distancia y una frialdad horribles.

Siempre tuve esa sensación. Daniela cumplía con todo lo que se esperaba de ella, pero estaba ausente, en un mundo al cual yo no tenía acceso, un mundo misterioso y triste. Se reía poco, jugaba poco, y tenía pocas amigas. Usted no se imagina la cantidad de intentos que hice por integrarla. Yo misma invitaba a sus compañeras de colegio a tomar té y después las llevaba a los juegos o al club de golf. Para sus cumpleaños la vestía de princesa y les tenía disfraces a todos los niños y les contaba cuentos donde ellos eran los protagonistas. En las historias, Daniela era siempre el personaje principal. Para que se sintiera importante. Pero ella rara vez perdía su aire melancólico.

Cuando cumplió nueve años, no quiso disfrazarse de princesa. Me dijo que se veía ridícula, y que prefería vestirse de bruja o de vaca, o de cualquier cosa, pero no de princesa. Es cierto que era un poco gordita, aunque le prometo que se veía preciosa con sus rizos y sus pecas. Toda su mansedumbre se transformó en violencia, una violencia que subyacía en su mirada, en sus gestos, en su negativa a vestirse de princesa. Tomó un traje de lobo del baúl donde yo guardaba los disfraces y se lo puso. Durante su cumpleaños no habló con nadie, se mantuvo distante, observando su fiesta como un lobo al acecho. Usted no se imagina los esfuerzos que hice para que su actitud pasara inadvertida. Parecía una ilusionista intentando sostener un castillo de naipes que se venía abajo.

Sí, reconozco que Daniela tenía un problema de autoestima. Siempre me preocupé de apoyarla en ese sentido. Podía decirle cien veces en un día lo linda que era. Pero no sé, era como hablarle a una puerta. Cuando le mostraba en el espejo lo bien que le quedaba algún vestido, ella daba vuelta la cabeza y se negaba a mirarse.

Se pasaba la mayor parte del tiempo estudiando. A partir más o menos de los catorce años le bajó obsesión por trotar. Me pareció estupendo, así al menos tomaba aire y los kilitos que tenía de más desaparecieron. Se puso de veras muy linda. Trotaba todo el día, no sé si aún lo hace. Desde que se fue a vivir con Rodrigo Bauer, sé menos de ella.

Casi me morí cuando se fue a vivir con él. Todavía me da una rabia tremenda. Sentí que la perdía para siempre. Y de hecho ha sido un poco así. Desde que se fue, la poca relación que existía entre nosotras, en nuestra convivencia diaria, se esfumó por completo. Me sentí un absoluto fracaso como madre, incapaz de retener a mi hija a mi lado. Por la urgencia y la determinación con que nos anunció que se iba, parecía huir de nosotros. Yo me resistí, intenté disuadirla por todos los medios. Quería protegerla, mal que mal tenía solo dieciocho años cuando se fue.

Joaquín, en cambio, se puso de su lado. Es algo que nunca voy a entender y creo que tampoco perdonar. Apoyó a Daniela con tanta vehemencia, que todos mis esfuerzos fueron inútiles. Lo cierto es que nunca había visto a Joaquín tan empecinado en algo, parecía defender su propia vida.

Tengo un profundo sentimiento de fracaso. Daniela se me escapa de las manos. Por eso verla el domingo sentada junto a Ana, como embrujada con sus encantos, sonriendo como hace tiempo no lo hacía, me desarmó.

Daniela

Tiro la cadena y me quedo sentada sobre la tapa del baño. Tengo puesta la bata lanuda de Rodrigo y mis zapatillas de ballet color malva. Son las ocho de la mañana. Hace tres días que no me aparezco por los ensayos. El asistente del director me llamó el primer día, pero estoy segura de que después de eso nadie me ha echado de menos. Tal vez logre inventar algo, tal vez por arte de magia me enferme, y entonces todos se olvidarán del asunto de Yocasta. Y si eso no ocurriera podría intentar decirle a Rodrigo la verdad. Aunque estoy convencida de que no lo entendería y estaría en lo justo si no lo hiciera, ¿quién podría entender algo tan estúpido? Me ha visto bajoneada estos días, ayer llegó con un ramo de rosas y por la noche lo sentí a mi lado velando mi sueño. Es una pena que haya tenido que partir a la grabación de su teleserie tan temprano. Me gustaría estar con él ahora.

Gabriel, en cambio, aún duerme. Ha trabajado como un condenado estos últimos días en el vestuario que diseña para la opera de *Otelo*. Me mostró los dibujos de sus diseños y me gustaron tanto que todavía los veo moverse en mi cabeza. Ya encontró un departamento y se mudará a fines de este mes. Yo hubiera preferido que se quedara más tiempo con nosotros. Su presencia me apacigua. Gabriel es como el aire: esencial y a la vez invisible.

Intento abrir la ventanilla del baño, la que da al patio de luz. En su oscuridad cavernosa las ropas colgadas parecen banderas muertas. Quiero dejar entrar el aire, pero está atascada; apenas logro abrirla unos centímetros. Me levanto sin rumbo fijo, aunque en este par de cuartos, cocina y baño no tengo muchos destinos posibles. Miro a mi alrededor: ropa en el suelo, copas sobre la mesa, libros abiertos, la cama deshecha. Un viento nostálgico se cuela por la diminuta abertura de la ventana del baño. Echo de menos la casa de la Reina Madre, la mesa dispuesta por la mañana desde temprano, el pan tibio, oloroso, los potecitos de mermelada, y Marcelina, siempre contenta de compartir alguna humorada de esas simples y transparentes, sin los dobles sentidos que siempre se me escapan en las tertulias de mis amigos. Pobre mamá, ella no tiene la culpa. Construyó su castillo para nosotros, para que fuéramos felices... y le fallamos. Quiso por hija a Gretel, a Rapunzel, niñas inocentes, amables, heroicas, y en su lugar llegué yo. Anheló un príncipe valiente, recio y fuerte que con su brío derribara hasta al más fervoroso de los enemigos, y en su lugar llegó mi padre. Un Peter Pan estacionado en la nostalgia de su infancia. Movida por estos pensamientos ordeno la cama, abro las ventanas, limpio el polvo de mesas y repisas; pongo en su lugar los libros, lavo las copas, riego el cardenal del balcón, le saco brillo al espejo de la sala y se abre una inesperada perspectiva de luz.

Desde pequeña veía a mi madre yendo y viniendo por la casa sin cesar, pasando el dedo por encima de los muebles para asegurarse de que no tuvieran polvo, sacando y poniendo flores de una vasija hasta lograr una composición perfecta. Me gustaba espiarla oculta en algún rincón, imaginando que en ese continuo sin fin encontraría la clave de su ser. Y fue en una de aquellas ocasiones cuando de pronto vi el piso oscilar, crujir, y abrirse bajo sus pies. La vi caer por un precipicio de vasijas, tijeras, terciopelos, repollos, rosas, zapatos y mermeladas caseras. La vi precipitándose al vacío sin poder aprehender nada, porque al intentarlo los objetos se desintegraban en sus dedos. La vi caer, desgarrarse la ropa, golpearse la cabeza con los cantos del precipicio, sangrar hasta volverse un amasijo de carne sanguinolenta. A partir de aquel día, cuando ella me pedía ayuda para preparar una salsa de chocolate o sacar la ropa de verano y guardar la de invierno, yo corría a perderme para que no me arrastrara en su abismo. Mucho tiempo después, cuando leí a Salinger —el único libro que he logrado terminar—, esa imagen del despeñadero por donde caían los niños volviéndose adultos me recordó mi pesadilla.

Pido disculpas si digo demasiadas cosas, si brinco de una idea a otra, pero estoy un poco excitada. Hoy partiremos en nuestro viaje con la tía Ana. Primero a Valparaíso, a fotografiar a Pedro Meneses el poeta, y luego a Horcón e Isla Negra. Será por eso que hoy, a pesar de la horrible imagen del despeñadero, no me importa ser un poco como mi madre. Reconozco que en su esmero está su cariño. Era delicioso encontrar las sábanas tibias en invierno después de que ella dejara la bolsa de agua caliente con rostro de oso en mi cama.

Mientras pienso estas cosas, doblo las camisas de Rodrigo hacia un lado y luego hacia el otro, las blancas a un costado, las de colores al otro, enseguida las poleras azules, las blancas y las negras. Los suéteres en la repisa de más abajo, los de cuello tortuga, los de cuello en V y los de cuello redondo. Nadie lo pensaría, pero Rodrigo es un poco inseguro con respecto a su apariencia. Antes de salir, siempre me pide mi opinión, aunque con el tiempo ya no lo miro, simplemente apruebo como se aprueba la gracia de un niño por enésima vez, mientras se piensa en otra cosa.

Cuando termino de ordenar, me preparo un café negro. Aún tengo tiempo antes de pasar a buscar a la tía Ana a su hotel. Ella me advirtió que era incapaz de abrir un ojo antes de las diez de la mañana. Por eso acordamos que yo la recogiera después de las doce. Como el pronóstico del tiempo es bueno, Rodrigo me ofreció que fuéramos en su moto y a la tía Ana le encantó la idea. Es la primera vez que Rodrigo me la presta con tal desprendimiento. «Puedes llevártela», me dijo, levantando una ceja a lo James Dean, ¿o a lo Johnny Depp? No estoy segura, en todo caso fue un gesto nuevo que no había visto antes. Se lo hice notar y él se rió. Me es difícil a veces distinguir sus gestos de los de sus personajes. Los elige cuidadosamente, los ensaya hasta manejarlos, los lleva un tiempo en los bolsillos para sacarlos cuando los necesita y luego, sin percatarse siquiera, se pegan en su piel: un mohín de desprecio, una cadera ladeada, un entrecerrar de ojos para enfocar, un batir de manos más enérgico. Poco a poco todos esos gestos se funden unos con otros, contradiciéndose a veces, porque una sonrisa tímida no liga con el andar de un guerrero, ni esa mirada distante y nostálgica con la risotada de un mafioso. El bueno, el malo, el tímido, el arrogante, el despreocupado, el aprensivo, todos ellos conviven en ese cuerpo bello de Rodrigo y comparten mi cama y yo los miro y de vez en cuando los nombro: es el aprensivo quien me arropa esta noche, el inseguro quien me pregunta por su apariencia, el soberbio quien cuelga el teléfono cuando oye la voz del director, el romántico quien se pasa una tarde de brazos cruzados mirándome con ojos lánguidos, el héroe quien levanta a un borracho de la calle y lo invita a comer. De tanto procurar diferenciarlos unos de otros, Rodrigo se está desintegrando en mi mente. Supongo que es la razón por la cual hoy ordené con tanto ahínco sus cosas. Creo que es a él al que intento poner en su sitio. De pronto lo imagino abriendo un gran armario que en lugar de ropa, contiene gestos, frases, movimientos, miradas. Lo veo sacando uno de ellos de la misma forma que separa una camisa: lo extiende sobre la cama, lo observa un momento y luego se lo pone para salir al mundo.

Cuando lo conocí yo tenía diecisiete años; sin embargo, aparentaba trece. Era mi primer año de teatro. Para que nadie advirtiera mi flacura y, por consiguiente, fuera obligada a comer, ocultaba mi cuerpo bajo innumerables suéteres, medias y pantalones un par de tallas más grandes que la mía. De todos los cursos a los cuales asistía, la clase de movimiento que impartía Rodrigo era mi mayor martirio. Nunca me he sentido tan inadaptada como en ese par de horas. La sala olía a hembra, y los humores de mis compañeras dejaban en evidencia mi imposibilidad de ser como ellas. Sus movimientos más nimios se transformaban en gestos cargados de erotismo y sus gritos guturales que acompañaban algunos ejercicios, se acercaban a los gemidos que yo imaginaba debía provocar el acto sexual. Yo me pasaba la mayor parte del tiempo en el rincón más apartado de la sala. No obstante, un día, mientras intentaba expresar con mi cuerpo la potencia del viento, algo cambió. Me despojé de todo lo que llevaba puesto. No sé qué fuerza se adueñó de mí, solo sabía en ese momento que mis infinitas pieles de cebolla laboriosamente tejidas durante todos esos años, pesaban toneladas y me fijaban al suelo y que el viento no podía llevar ese peso. Mi cuerpo tomó posesión de la sala, desatando la más feroz de las tormentas. Mis brazos hendían el cielo, mi torso se doblaba hasta quebrarse y mis pies se elevaban impulsados por la energía del viento. Al terminar caí al suelo, estaba exhausta, sudaba de pies a cabeza. De pronto escuché un zumbido en mis oídos que se fue haciendo más intenso hasta llenar todo el espacio. Eran mis compañeros que aplaudían. Una inesperada felicidad recorrió mi cuerpo, un manto pacífico y cálido. Me quedé quieta, sin decir palabra. Rodrigo se acercó a mí, me tomó suavemente por los codos y me ayudó a levantarme. Vi una extraña expresión en sus ojos donde se combinaban la dulzura y la desesperación. Después de ese día con frecuencia sentí su mirada cuando él creía que no podía verlo, rozándome el cuello o intentando hundirse en mis ojos bajos. Me parecía imposible que Rodrigo, amor platónico de toda la escuela, se fijara en mí. Algo andaba mal. Llegué incluso a pensar que era a Aurora a quien contemplaba, una chica que por alguna razón incomprensible se había apegado a mí. Las miradas de Rodrigo me halagaban, pero también me cohibían. Por las noches, mientras algunas insinuantes imágenes de él se colaban en mi conciencia, yo buscaba entender por qué me acorralaba, por qué precisamente a mí, si la añoranza última de mi ser, al igual que la de todos los tímidos, era desdibujarme.

Al final de ese primer año empecé a trabajar como modelo. Pese a considerarla una actividad «un poquito expuesta», mi madre aceptó, al concluir que a fin de cuentas sería bueno para mi autoestima. Estaba equivocada. La mayoría de las veces aparecía con vestimentas masculinas que exaltaban mi apariencia imperfecta, mi total falta de sensualidad. Los fotógrafos parecían divertirse dejando en evidencia mi naturaleza de engendro. No era una niña, me faltaba el fulgor y demasiadas sombras melancólicas cubrían mi rostro, pero tampoco era una mujer. Al menos ganaba dinero y eso me permitió en gran medida comprarme el aprecio de mis compañeros. Por lo general era yo quien pagaba. Salíamos los jueves y los viernes, aunque, cual Cenicienta, debía llegar a casa antes de las doce de la noche. Cuando cumplí dieciocho años, Aurora me organizó una fiesta en un bar. Yo me negaba a celebrarlo en mi casa y ser de un golpe tildada de burguesa por mis compañeros. Mi casa y la escuela eran mundos incompatibles.

Aurora invitó a Rodrigo y, para deleite de todos, aceptó. Era imposible que Rodrigo intuyera mis fantasías. Estoy segura de no haberle dado ningún signo, no hubiera sabido cómo hacerlo.

Eran sueños que solo surgían en lo más profundo de la noche, cuando la conciencia me abandonaba y fantasmas tenaces y osados rondaban mi cama. Despertaba húmeda, exaltada y era siempre Rodrigo quien, en ese instante, desaparecía en un recodo de la oscuridad.

Aurora me sentó en un extremo de la larga mesa y a Rodrigo en el otro.

—No —puntualizó Rodrigo—. Me quiero sentar al lado de la festejada.

¡Qué presumido!, pensé. Hablaba con la seguridad de quien siente que su sola presencia es un regalo.

Pasado un rato, cuando Aurora pedía unas cuantas tablas de queso y vinos, Rodrigo tomó mi mano y la acarició.

—Cumpliste dieciocho años —me dijo con los ojos empañados. Yo no entendía. No podía entender. Luego, con el mismo apremio con que la había cogido, soltó mi mano y prendió un cigarro desviando la vista hacia el otro extremo de la mesa donde Soledad, la más lujuriosa alumna de la escuela, aguardaba con impaciencia su mirada. Más de alguien debió advertir ese gesto, porque no me cabe duda de que todos ellos, con diferentes propósitos pero en idéntica intensidad, estaban pendientes de Rodrigo. Algunos intentaban sonsacarle detalles de la filmación de una película en la cual estaba involucrado. Una producción americana que para abaratar costos se filmaba en Chile. Se habló de cine, de las dificultades para desarrollarlo en nuestro país, de los posibles rumbos que podía tomar el teatro, de las teleseries, diabólicas para algunos, bendición del cielo para otros. Rodrigo a este respecto mantenía una posición ecuánime, enumerando tanto sus virtudes como sus peligros. Su hablar era claro y cargado de una aburrida solemnidad, similar a la que usaba en sus clases, y si no hubiera prendido y apagado el encendedor con energía, se habría dicho que estaba incluso cansado. De tanto en tanto nuestros codos se topaban y entonces yo sentía la energía fulminante que emanaba de ese contacto. Después de la torta y del tradicional feliz cumpleaños, Rodrigo se levantó para irse. Dijo que tenía filmación temprano. Un *close, close up,* explicó en un tono que intentaba ser jocoso. Se despidió a la distancia, sin fijar la vista en nadie en particular. Tras dar dos pasos se detuvo.

—Supongo que le debo un beso a Daniela —dijo y se acercó a mí. Yo me levanté como si pegado a mi asiento hubiera tenido un resorte. Tanto, que mi cuerpo perdió levemente el equilibrio. Rodrigo me sostuvo y me dio un beso en el borde del oído.

Al partir Rodrigo, mi fiesta de cumpleaños se desinfló, las conversaciones se deshilacharon hasta convertirse en sílabas borrachas, en filamentos que apenas nos unían y que Aurora cortó a tiempo, al pedir la cuenta. Pagó con una colecta que había hecho días antes entre los que asistirían, y nos mandó a todos a nuestras casas. El único de mis compañeros que tenía auto se encargó de dejar por allí a unos cuantos, entre los cuales estaba yo. Antes de partir, Aurora me apartó del grupo y me dijo: «Es evidente que Rodrigo se muere por ti». «Estás loca», le dije yo y me monté al auto con una sonrisa que cruzaba mi rostro y se extendía más allá del estrecho y destartalado Fiat de mi compañero. Cuando me bajé, abrí con cierta desilusión la reja de mi casa. Eran recién las once de la noche y antes de salir, en un acto de entereza, le había anunciado a mi madre que llegaría tarde. De pronto escuché que alguien me llamaba. Lo vi cruzar la calle con su chaqueta de cuero y sus jeans gastados, casi blancos. Por un segundo pensé que estaba alucinando, mal que mal alucinar es parte de mi vida, contarme historias, imaginarme situaciones fantásticas. Pero no, esto era real, Rodrigo se aproximaba a paso rápido, traía el pelo desordenado y olía a alcohol. Cuando estuvo frente a mí me tomó por los hombros.

—No me mires nunca más así, Daniela —pidió.

—¿Cómo? —pregunté, sintiéndome un tanto estúpida. Sabía que mis palabras no estaban a la altura del dramatismo de las circunstancias.

—Como si no existiera.

A pesar de conocer perfectamente los niveles de histrionismo al cual podían llegar los actores en la vida real —yo misma no era inocente a ese respecto—, y que las palabras de Rodrigo podrían haber sido parte de un parlamento de teatro, algo me decía que su desaliento era genuino.

—No puedo creer que necesites que yo te mire, yo...

—Necesito mucho más que eso. Creo que me estás volviendo loco —me interrumpió y cruzó los brazos como reteniendo el impulso de tocarme; había bajado la vista y estaba azorado. Lo había visto derramar un par de lágrimas en alguna de sus interpretaciones, pero ese rostro sonrojado, virtualmente temeroso, desbarató la escasa resistencia que me iba quedando. Ya no pude pensar ni hablar ni defenderme. Rodrigo me tomó y me dio un beso. Me sentí mareada, casi enferma.

Yo era virgen y fallecía de vergüenza ante la idea de que Rodrigo se enterara. No era frecuente que una joven de mi edad lo fuera; de hecho, todas mis amigas hacía rato que se acostaban con sus novios o con sus amantes esporádicos. En el fondo de mi inexperta conciencia, yo creía en la entrega total, aquella que me fundiría con el otro. Creía en el beso de un príncipe que me despertaría a la vida, a la verdadera vida, a esa que estaba segura existía en alguna parte. Creía en suma en los cuentos de hadas. Apenas Rodrigo me tomó de la mano y emprendimos la marcha rumbo a su moto, supe que no había vuelta atrás. Cuando nos subimos, me aferré a su cuerpo y cerré los ojos. Yo oía mi corazón latir y temía que él también lo sintiera. Rodrigo detuvo la moto, estábamos frente a la puerta de su edificio. Ya en la calle empezó a besarme. Subimos las escaleras acoplados como perros. Llegado un punto le confesé que era virgen y Rodrigo se detuvo. «Entonces comenzaremos de nuevo», me dijo y con suavidad pasó su brazo por mi cintura y me llevó a su cama. No fue una experiencia grandiosa, aunque tampoco traumática. A pesar de los ostensibles esfuerzos de Rodrigo por ser delicado, concluí con presteza que los hombres más se parecían a los orangutanes que a los príncipes encantados. Pero lo que tenía mayor trascendencia para mí era que Rodrigo, al ver mi cuerpo desnudo, no había huido. Por el contrario, parecía deleitarse, arrebatarse al contacto de mi piel áspera y blanca. Me confesó que desde el primer día quiso tenerme y era justamente mi apariencia inacabada, a medio camino, la total inconciencia de mí misma y de la fuerza erótica que proyectaba, que lo habían trastornado, hasta el punto de esperar con paciencia el día que yo cumpliera dieciocho años para acercarse a mí. Por contradictorio que pueda parecer, había sido también mi apariencia de niña la que lo había detenido hasta ese entonces. Pero su confesión no acababa allí. Me reveló que en mi interpretación del viento hubiera querido hacerme el amor ahí mismo y que a duras penas había continuado la clase con una erección que llegaba a dolerle. Me dijo que durante semanas había intentado imaginar por los pliegues que dejaban mis inmensas camisetas, por la silueta de mi trasero insinuada bajo los enormes pantalones, cada rincón de mi cuerpo, en especial ese hueco que intuía dejaban mis muslos sin tocarse, ese arco escaso en las mujeres, antesala de mi sexo. A pesar de su excitación —él usó la palabra «calentura»—, desde hace algún tiempo prefería mantener su cama vacía por si los duendes, compadecidos de su soledad, me hacían aparecer allí. Y fue en ese instante, cuando nombró a los duendes, eternos acompañantes de mi infancia, que terminé por entregarme a él.

Desde entonces y hasta hoy, temo la llegada de aquel momento cuando mi cuerpo de mujer logre traspasar las barreras que le he impuesto, a punta de comer casi nada o vomitar todo lo que pruebo. Me lo imagino estallando, aflorando a través de mis huesos, avanzando como la lava de un volcán, desparramándose inclemente, hasta cubrirme de adiposas e infernales cavidades. Mientras tanto, Rodrigo aún me mira con ojos embelesados y venera la ausencia total de curvas en mi cuerpo.

Dos meses después me trasladé a vivir con él. Inútiles fueron los intentos de mi madre por disuadirme. «Estás destruyendo tu vida», me dijo. «No llegarás a ninguna parte por ese camino». Tantas esperanzas que había puesto en mí, las clases de ballet, de canto, de francés, ¿para qué?, ¿para que me fuera a vivir a un barrio de mierda en concupiscencia con un actorcillo desconocido ocho años mayor que yo? Qué diría la familia, sus amigas. Yo sabía que salir de mi casa era la única forma de salvarme. Mi madre me ahogaba y Rodrigo parecía quererme.

Pero de eso hace mucho tiempo, ahora debo terminar mi café y vestirme. Ya es hora de partir. El cielo tras las aburridas nubes de acero tiene un tono azul muy claro, transparente casi.

Ana

—¿Estás segura de que puedes manejar este bicho tan grande? —pregunta Ana, sin disimular su sorpresa cuando Daniela señala la moto aparcada frente a la puerta del hotel.

—¿Y tú qué crees? —interroga Daniela sonriendo, con un tono desafiante en la voz.

—Yo creo que sabes perfectamente lo que haces —replica Ana, tocando el hombro de Daniela en un gesto casi maternal.

—¡Correcto! —exclama Daniela.

Una vez arriba de la moto, Ana se prende a Daniela y apoya la cabeza en su espalda. Pronto alcanzan la carretera, dejando atrás el cielo turbio de Santiago.

Fernando, el periodista que ayudó a Ana en la elección de los personajes, fue tajante a la hora de escoger un poeta. Tenía que ser Pedro Meneses. Le entregó un poemario suyo y, aunque Ana está lejos de ser una experta, sus poesías le parecieron excepcionales. Le impresionó, además, saber que tenía tan solo veinte años, que a pesar de provenir de una familia adinerada, vivía en uno de los cerros más pobres de Valparaíso y, sobre todo, que se estaba muriendo.

Ana no sabe a ciencia cierta por qué aceptó la compañía de Daniela en este viaje. Como asistente fotográfica es poco lo que podrá ayudarla.

Como sea, la idea de ir con Fernando no le era atractiva. Según constató en el primer encuentro que tuvo con él, Fernando es uno de aquellos seres que tienen todo demasiado claro y gozan dándole a las palabras más nimias un énfasis trascendental. A pesar de que en el almuerzo en casa de Joaquín descubrió que Rodrigo, el novio de Daniela, conocía bien a Fernando y tenía una muy buena opinión de él. Ahora, aferrada a Daniela, observando la carretera vacía y los álamos flacos surcando el cielo, ese cielo pálido que se va haciendo casi acuático, intuye que no se ha equivocado al escogerla.

En una gasolinera se detienen. Daniela llena el estanque y revisa con seguridad de experta el aire de los neumáticos. «Es una Shadow de mil cien centímetros cúbicos», dice al pasar. La toca como a un caballo purasangre, asestando pequeños golpecitos en la zona del estómago. Ana hace lo mismo y ambas ríen. Tienen las piernas acalambradas y deciden caminar. Estacionan la moto frente a un álamo seco y se internan por una huella que lleva a un potrero. Daniela saca una cajetilla arrugada de su bolsillo y le ofrece a Ana un cigarro.

—¿Sabes? Me imagino que somos un par de vaqueros, esos del oeste, pero que en lugar de andar a caballo, andamos en moto —dice Ana.

Daniela la mira con expresión interrogante, la cabeza ladeada, el pelo al viento. Tiene los ojos redondos de un castaño jaspeado y frágil. Arruga con frecuencia la nariz como si olfateara el horizonte.

—¡Ven! —la insta Ana y echan a andar por el pasto que se pierde en una explanada veteada de árboles contrahechos y espinos amarillos.

Daniela se mueve descuidadamente, como un chico; da la impresión de no ser consciente de su cuerpo. Sin embargo, de pronto se detiene, baja el torso en un ángulo de noventa grados y lo despliega hacia delante.

—Me duele un poco la espalda —dice con expresión de disculpa mientras extiende los brazos. Cada músculo de su cuerpo se desplaza ahora con exactitud y cadencia de bailarina. La perfección de sus movimientos le recuerdan a Ana que tras esa chica de apariencia desmadejada se esconde una actriz. Le pregunta por su obra de teatro, aquella que con tanto orgullo nombró Joaquín en el almuerzo. El rostro de Daniela se crispa.

—Está lejos, allá al otro lado del cerro —dice, señalando un punto en la lejanía—. ¿Quién quiere pensar en eso ahora? —pregunta—. Yo no —responde ella misma riendo—. Mejor cuéntame cómo es tu vida en Londres. Aunque tú no lo creas, en la familia se habla muchísimo de ti, dicen cosas increíbles.

—¿Qué dicen?..., qué entretenido.

—No sé, historias de amores locos, que viajas por el mundo, que tuviste un amante muy, pero muy importante...

Ana suelta una carcajada.

—Cuéntame de eso, me encantan las historias de amor... —sugiere Daniela con esa curiosidad teñida de admiración que tanto halaga y que abre cualquier compuerta, sobre todo cuando se añora hablar de uno mismo. ¿Acaso fue justamente eso, el presentimiento de la fascinación que ejercía sobre Daniela, lo que la llevó a aceptar su compañía?, se pregunta Ana.

De pronto cae en su mente la idea de que si habla de Jeremy, si lo transforma en palabra, en una mera anécdota, es posible que logre exorcizarlo. Caminan unos metros y al abrigo de unos álamos se tumban en el pasto. Es una locura, piensa Ana, debiéramos estar en camino a Valparaíso. Además, un lugar propicio para las confidencias es más bien un rincón de algún bar donde se ha citado a la mejor amiga, provista de un par de cajetillas de cigarros, una buena botella de vino y un montón de servilletas con las cuales enjugarse las lágrimas. Pero no esto. No este descampado a las dos de la tarde, con el estómago vacío, junto a una niña que apenas conoce.

Frente a ellas un par de sauces llorones forman un follaje transparente. Más arriba, los rayos de sol se cuelan entre las nubes para caer blandamente en su reducto. Una brisa proveniente del norte mece las hierbas, desatando un rumor parejo y suave. Al fin y al cabo, cada instancia tiene su curso propio, su impredecible coherencia, piensa Ana, y es la rareza, el fulgor inesperado de ese momento, lo que la hace arrojarse a una confidencia cuyo destino desconoce.

*

Debo comenzar por Elinor. Elinor es una amiga que tiene una de esas apariencias típicamente inglesas: alta, un poco desgarbada, de caderas anchas y huesudas, y un eterno color blancuzco en la piel que al contacto del sol, pasa por todas las tonalidades posibles de rojo sin tostarse jamás. Además, habla como los locutores de la BBC; no sé si los has oído, seguro que no. Bueno, es una dicción absolutamente perfecta. Lo más notable en ella es su capacidad de hacer comentarios exhaustivos y mordaces sobre otras personas. Por cierto, si compartes sus revelaciones, en la más íntima de las complicidades, la encuentras adorable, pero no si eres el objetivo de sus dardos. Todo en ella posee un ángulo, desde su apariencia física hasta sus pensamientos. Yo estaba cansada, inmensamente cansada cuando Elinor se cruzó en mi camino y me convidó a pasar una temporada con ella a su residencia de campo en las cercanías de Cambridge. En los cuatro meses anteriores, yo apenas había parado en Londres, viajé por diferentes ciudades de Europa haciendo fotos para diversos medios, algunas interesantes, aunque la mayoría bastante inocuas. En lo que se refería al estado de mis sentimientos, había emprendido también unos cuantos viajes amorosos, sin demasiada trascendencia, pero igualmente agotadores. Al proponerme Elinor que me fuera con ella, me prometió que en su residencia podríamos levantarnos tarde, almorzar en la terraza mirando el gran parque, caminar en el crepúsculo entre los árboles, leer y conversar de arte. Podría, además, si me esmeraba, echar a andar ese proyecto fotográfico del cual le había hablado hacía un tiempo. Su proposición era irresistible. Yo usufructuaría de su espléndida vida y ella de mi energía para mantenerse a flote.

Elinor tiene una compulsión por tomarse cuanta píldora encuentra en su camino, una para dormirse, otra para levantarse y unas cuantas para relajarse, concentrarse y olvidarse. No te imaginas el arsenal de drogas que guarda en su baño. A veces estas combinaciones la fulminan y es capaz de pasarse días sin despegar la cabeza de la almohada ni pronunciar frase coherente.

Muchas veces nuestro contacto hacía que los abismos de su mente se alejaran. Sobre todo las noches que ella se introducía en mi cama. A pesar de nunca haber abierto los ojos cuando ella me tocaba, yo sabía que en su rostro rondaba la muerte en la forma de algún somnífero, combinado con algún otro fármaco y grandes cantidades de alcohol. Presentía las minúsculas arrugas de su rostro, por donde hilachas de sudor bajaban hasta su cuello, ese cuello largo, lleno de senderos rocosos, venas, tráquea, sangre. Era mejor quedarse en tinieblas, imaginar cualquier cosa o no imaginar nada. Como sea, no tenía corazón para empujarla fuera de mi cama, para rechazarla y arrojarla a su peligroso vacío. Me dejaba en cambio llevar por sus manos hábiles, explorándome, su cuerpo todavía ágil meciéndose sobre el mío, besándome en el otro extremo de mí, a un ritmo perfecto, y de pronto, con más viveza moviendo los dedos y friccionando en ese exacto lugar que muy pocos hombres distinguen, agitándome con tal precisión e intensidad que a veces me hacía gemir. Podía oír mi propia voz distorsionada por los espacios desocupados de la gran residencia, que volvían en forma de ecos cuando Elinor me soltaba y una ola recorría palmo a palmo mi cuerpo. Después, en silencio, ella salía del cuarto y al día siguiente yo la despertaba como si nada hubiera ocurrido.

Cada tarde, alrededor de las cinco y media, se presentaban cuatro o cinco visitantes. Hacendados de tierras aledañas o personalidades que vivían en

Cambridge y que gustosos dejaban sus exiguas vidas (llenas de pomposidad, pero bastante monótonas y restringidas) para pasarse una tarde frente a la suavidad decadente de la chimenea, con un buen vaso de vino en la mano, circundados no solo por Wronski, Levin y Oblonski, los galardonados perros de caza de Elinor, sino que también por sus adustos parientes, protagonistas de la historia de Inglaterra, colgando en sus marcos dorados de las altas paredes del salón. Había que sumarle a esto las mullidas alfombras y la mesa de mantel blanco, siempre dispuesta a la hora del té, con sus numerosos candelabros y su servicio de plata. Tardes que terminaban a veces en una frondosa comida regada de vino y otros tragos más fuertes. Teníamos con Elinor un código para determinar si ambas estábamos de acuerdo en continuar la parranda hasta altas horas de la noche. Llegado un punto nos mirábamos, si estallábamos en una carcajada, era que preferíamos quedarnos el resto de la tarde solas; entonces, una de las dos tomaba una actitud lánguida, de cansancio y tedio, que los comensales advertían, abandonando la residencia desilusionados por no haber tenido la oportunidad de cenar a la luz de los candelabros.

*

Llevan al menos una hora allí tendidas, y aún Ana no ha nombrado a Jeremy. Daniela le hace notar que se hace tarde. Se levantan, sacuden sus ropas y enfilan por el sendero de vuelta a la gasolinera.

Ya se avecina la tarde cuando llegan a Valparaíso. Desde la cima del cerro se divisa el puerto y los arreboles sobre la masa oscura del mar. Desparramadas a sus pies, un sinfín de construcciones disímiles y maltrechas parecen haber caído de la montaña. Ana estuvo una vez con su abuelo en Valparaíso y sus recuerdos cultivados a solas se enmarañan con historias o jirones de películas: bares, prostitutas gastadas y marineros cuyo único corazón es el que llevan tatuado en sus brazos.

Inician el descenso por calles sin nombre, casonas oxidadas que se piden permiso unas a otras, laberintos de hilos volantes cargados de ropa, mientras el mar, en un principio allá lejos, inmenso, y parejo, se va acercando hasta volverse el bullicioso puerto.

Ahora deben encontrar al poeta antes de que se vaya el sol. En un semáforo, Ana saca de su bolso un papel con las señas de Pedro Meneses.

—No tengo la más mínima idea, es como si hablaras en chino —ríe Daniela cuando Ana lee la dirección en voz alta.

Unas cuadras más allá se detienen frente a un quiosco de revistas y Daniela se baja de la moto a preguntar. Ana se queda mirando una plaza al otro lado de la calle. Un chico de unos veinte años (o tal vez más, acaso un viejo con actitud de niño, o un niño que se ha vuelto viejo prematuramente), sentado en una banqueta fuma solitario. Ana saca su cámara fotográfica y lo apunta con el zoom. Recuerda haber leído en alguna de las obras de Oscar Wilde —su autor más preciado— que, desde el momento en que alguien se sienta a pensar, se vuelve todo nariz o todo frente, desbaratando la poca o mucha belleza que puede contener su rostro. Sin embargo, este joven tiene la particularidad que, a pesar de estar obviamente enfrascado en algún pensamiento (dada la intensidad y la lejanía de su mirada), sus rasgos son perfectos y diáfanos. Su único movimiento se reduce, de tanto en tanto, a remover hojas con la punta de su zapato. Viste con elegancia antigua, se diría solemne. Ana se acerca unos metros y comienza a disparar. Al terminar el rollo, tiene la certeza de haber obtenido al menos un par de buenas fotos de él.

Daniela camina hacia ella batiendo el papelito con la dirección. Ya sabe dónde vive el poeta y señala el cerro del cual acaban de descender. No está muy lejos. Ana mira nuevamente hacia la plaza donde el niño anciano ha levantado el rostro y ahora las observa con la ausencia de quien ha emigrado a otras tierras. Sus ojos grandes y oscuros tienen la vacuidad de aquellos que han estado mucho tiempo cautivos. Ana se estremece y piensa con remordimiento en aquel instante de intimidad que ella le robó sin él saberlo. Siente el impulso de sacar el rollo y destruirlo frente a sus ojos viajeros. Pero no lo hace.

—Estás temblando —dice Daniela. La tiene sujeta de los hombros.

Ana advierte de pronto los olores que salen de las casas, de la calle, de los bares, del mar y que se empozan pesadamente sin disiparse.

—Ya te explico, pero primero necesito una cerveza.

—¿Y el poeta?

—Podrá esperarnos, ¿o no?

Daniela parece divertida con el súbito

cambio de planes, aunque ambas saben que la tarde desaparece con rapidez y que tan solo en un rato habrá llegado la noche. Ana no sabe por qué lo hace, será ese placer vertiginoso que le produce cambiar de rumbo, como un capitán que vira el timón de su barco porque le dio la gana, porque en esa dirección el cielo tenía más textura y era más profundo. Caminan hacia un boliche al otro lado de la plaza mientras Ana le cuenta lo del chico de la banqueta.

El bar es estrecho y oscuro, pero hay guirnaldas de papel de un verde brillante colgadas por todas partes, como si se hubiera festejado algo recientemente.

—A pesar de las chimeneas, la casona de Elinor era muy fría. Todas las casas son frías en Inglaterra, imagínate esta, que era una especie de castillo —dice Ana cuando ya están sentadas frente a un par de cervezas.

*

Una mañana, Elinor decidió ir a Londres por un par de días. Había oído que un coleccionista en apuros estaba dispuesto a desprenderse de un bellísimo Hockney por prácticamente nada. Se envolvió en sus chales y se despidió de mí con un cariñoso beso y un sinfín de recomendaciones de esas que solo las madres obsesivas se aventuran a dar. Recuerdo el ruido metálico del motor de su Jaguar, la estela de polvo que dejaron las ruedas en el sendero y luego el silencio. Fueron seis días y seis noches de silencio. ¡La gloria! Dormí, leí y comí, mientras afuera llovía inglesamente. La primavera fue bastante tardía, pero la última jornada antes de que llegara Elinor, la luz de sol desgarró la niebla, disipándola en flequillos blancos que quedaron prendados en la colina. Una vez abierto el telón de nubes, todo estaba allí: las flores, las yemas de los abedules, las zarzas de los groselleros. La primavera se había gestado en silencio tras la niebla. Salí a caminar. Hacía mucho tiempo que no me sentía tan feliz.

Al regresar de Londres, Elinor traía el Hockney y una turba de amigos para celebrar su adquisición. La pintura era una de sus primeras y más expresivas piscinas —más tarde Hockney pintaría tantas que atosigaría el mercado—. Elinor no me había advertido del festejo, simplemente se apareció por la tarde con sus amigos y, en un par de horas, estaban todos instalados en las numerosas habitaciones de su mansión.

Cuando llegaron, arrullada por un irresistible vaho de indolencia, yo descansaba sobre el sillón de la sala cubierta por una manta. La agradable monotonía de esos días sola en la casona, habían empezado a encantarme y la presencia ahora frenética de Elinor bruscamente rompía el hechizo. Sentí la lengua áspera, como de polvo, y ganas de rebobinar, volver al instante en que el Jaguar de Elinor zarpaba con su halo de fuga.

Jeremy me miró desde la puerta del salón mientras Elinor se reclinaba a saludarme. Se limitó a alzar la mano y enviarme un saludo. Inmediatamente su atención se desvió hacia un cuadro moderno que representaba la estructura de hélix del ADN, que Elinor había adquirido recientemente. Me incorporé y sin terminar de entender lo que sucedía, me senté en el sillón con los pies cubiertos bajo la manta. Los gestos de Jeremy, aun cuando eran formales, contenían una secreta vehemencia; su sonrisa amable estaba cargada de ironía y su cuerpo a pesar de estar cubierto por un largo y grueso abrigo, se movía con la gracia y precisión de un animal de caza. Cuando abandonó la sala, yo me levanté y corrí a mi cuarto. Esa noche, me advirtió Elinor, habría una gran cena.

Todos bajaron a las siete en punto elegantemente ataviados. Yo había llegado allí un par de semanas atrás con lo que traía puesto. Mientras Elinor y yo estábamos solas no era mucho lo que requería, un par de jeans, unos suéteres de lana y zapatones para nuestros paseos. Pero esa noche Elinor llegó a mi cuarto con un vestido negro de batista tan fina como la gasa, cuyos bordados también negros daban vueltas, dejando pequeños huecos a través de los cuales se veía mi piel. Me resistí por un rato a llevarlo, pero cuando vi el rostro de Elinor abrumado frente a mi negativa, me di cuenta de que lo había comprado especialmente para mí. Bajamos juntas, ella llevaba un traje gris con corte de hombre. Me exhibía como una más de sus costosas adquisiciones y no me gustó. Durante la noche evité su cercanía.

No sé de qué forma Elinor se refirió a mí ante sus amigos, pero ellos, a excepción de Jeremy, mostraban un interés casi obsesivo por mi persona. Me preguntaban por mis viajes, por mis fotografías, por la situación de Chile y por Pinochet; me interrogaban también en voz baja sobre mi *affaire* con el ministro, soltando risitas de complicidad que parecían decirme: «Está bien que nos burlemos un poco de ellos, son tan presuntuosos».

Seguí el juego por un rato, pero llegado un punto se me hizo insoportable. Bebí todos los tragos que se pusieron en mi camino hasta que caí en la misma poltrona donde unas horas antes me había encontrado Elinor. Estaba sentada en una postura que se acercaba vertiginosamente al derrumbe. Un poco antes, algo descompuesta, había intentado aproximarme un par de veces a Jeremy, aunque había fracasado. A cada intento mío, él había encontrado una forma amable y firme de escabullirse de mí. Mientras más convencida estaba de su rechazo, más quería tenerlo. Opté por observarlo a la distancia. Él caminaba lento con su vaso en la mano mirando aquí y allá con distancia y una extraña sonrisa en los labios. Debo haberme dormido unos minutos porque, cuando un rato después decidí incorporarme, una joven muy bella y ciertamente más joven que yo, se había ligado a él. Reían en un rincón y él la tenía tomada de las caderas, unas caderas delgadas pero generosas que se trasladaban a un lado y otro mientras hablaban; llegado un punto él le dijo algo al oído y ella lanzó una carcajada que me hizo doler el pecho. En ese instante, Jeremy me miró. No tuve tiempo de pretender que no lo había visto. Me clavó los ojos y no me soltó. Yo tenía lágrimas, de rabia sobre todo, pero también de placer. Era la niña que le quitaban el dulce la que lloriqueaba, la niña consentida habituada a obtener lo que se le da la gana. Y me vi a mí misma tantas veces haciendo lo que en ese momento Jeremy hacía conmigo.

Jugar. Y fue aquel descubrimiento la causa de mi placer. Había encontrado a un hombre tan diestro como yo en las artes de perturbar y me gustaba. Era un desafío que me conmovía. Sus ojos expresaban provocación, anhelo, no podría especificar qué exactamente, pero sí sabía que estaban fijos en mí. Después de un rato lo vi desaparecer con la chica rubia por la escalera que llevaba a las habitaciones del segundo piso. Pocas veces creo haber sentido tanta rabia, asociada sí, a una imperiosa voluntad de ganar.

Al día siguiente, el desayuno comenzó tarde. Los huéspedes bajaron desgranados durante el transcurso de la mañana. Sus rostros delataban el exceso de alcohol y otros estimulantes que yo por fortuna no había tenido oportunidad de probar. Jeremy y la chica aparecieron juntos. Él traía el pelo mojado y una sonrisa de satisfacción que me indignó. Yo tomaba mi tercer café de la mañana y ya me sentía lo suficientemente lúcida para soportar lo que viniera. Jeremy se sentó a mi lado. Yo no había olvidado sus ojos detenidos en los míos la noche anterior. Me había mirado con intensidad, de eso no tenía duda, pero él había visto mi estúpida lágrima de borracha, eso también lo sabía. ¿En qué lugar nos ponía esa situación? No lo tenía claro. Ambos habíamos mostrado algo de nosotros mismos, pero no lo suficiente como para que tuviera algún significado. De ahí en adelante tendría la sensación de jugar una partida de ajedrez. Se sentó a mi lado y me preguntó cómo había pasado la noche. Qué desfachatez, pensé. Qué crueldad. Lo mismo que yo hubiera hecho con algún pretendiente fastidioso. Lo miré con detención, prendí un cigarro y no le respondí. El amigo más querido de Elinor entraba en el comedor en ese instante y se lanzaba a mis brazos para darme los buenos días. Le pedí a Jeremy que le cediera el puesto, quería charlar con Anthony le dije, y después de uno de esos típicos diálogos de cortesía, «...que no te molestes, que ya terminaba...», Anthony, apasionado coleccionista de grabados y de mujeres, se sentó a mi lado y Jeremy dio por terminado el desayuno; no estoy segura de si alcanzó a tomar su taza de café. Me sentí feliz. La rubia a la luz del día no era tan espectacular como me había parecido la noche anterior, su pelo tenía el color del maíz demasiado maduro y sus mejillas la redondez de las manzanas, aunque era posiblemente mi propia sensación de fortaleza la que me hacía verla de esa forma. Yo había llegado temprano por la mañana a la habitación de Elinor y mientras intentaba reincorporarla, ensayé frente a sus ojos todo su guardarropa. Al fin me puse una falda blanca, larga y vaporosa, la personificación misma de la femineidad; sellaba el atuendo de ángel una camisa blanca abotonada. A pesar de la frustración de la noche anterior, había dormido espléndidamente; además, una nueva energía me animaba, una energía que no experimentaba hacía tiempo. «Es Jeremy», me dijo Elinor, «¿no es cierto?». Aunque sus palabras sonaran livianas, arrojadas al azar, había reproche en su expresión. «Eres una bruja», le dije riendo, le di un beso en la mejilla y salí de su pieza.

Ese domingo transcurrió calmo, pero lo cierto es que un sinfín de hilos se entretejían, se anudaban, se desarmaban, para volver a ligarse con otros; situación predecible cuando quince personas se reúnen con el único fin de pasárselo estupendamente, y sacarle el mayor provecho a esos dos días que Elinor les ofrendaba. Entre los huéspedes había un abogado corpulento y tímido, un lord de las tierras aledañas tan alto que parecía iba a tocar con su alongada cabeza las lámparas de lágrimas, una galerista gruesa, colorada y sin cejas, un poeta de ojos vidriosos a punto de estallar en un ataque de llanto, el dueño de un exclusivo centro de yoga (uno de esos hombres que solo resulta agradable cuando se le acepta por lo que quiere aparentar), un par de artistas plásticos cuyos atuendos campestres parecían salidos de una revista de moda, además de varias mujeres jóvenes y esplendorosas, cuya actividad nunca llegué a descubrir. Me llamó especialmente la atención la presencia de un cura católico, expansivo y docto, de esos típicos eclesiásticos que se sienten más cómodos entre la gente poderosa y adinerada que encerrados en un claustro o evangelizando en un barrio pobre de Dublín. Y entre ese ramillete heterogéneo, un *professor* de genética en Cambridge: Jeremy. Para mí, el fin de semana se resume a una suma vertiginosa de roces, miradas, gestos de parte de Jeremy y repliegues premeditados míos, que se fueron desencadenando hasta estallar.

Ocurrió cuando por la tarde jugábamos al scrabble. Jeremy que leía frente a la chimenea, se había unido a nuestro grupo con cierto retraso. La chica rubia le entregaba los adminículos que requería para integrarse. Una música de fondo atemperaba las conversaciones. De pronto sentí sus ojos. Allí estaban otra vez. Sus pupilas recorrían mi cuerpo con una intensidad que fluctuaba desde la curiosidad casi adolescente a la voracidad. No entendía cómo los demás, absortos en los avatares del juego, no advertían lo que sucedía en paralelo. De tanto en tanto, él le profería una caricia a la rubia o susurraba algo en su oído, o simplemente agarraba una de sus rodillas y dejaba allí su mano libre. Yo no me acobardaba. Respondía a su mirada con la mía, desplegando mi agudeza verbal para encubrirme. Por un rato lo evitaba, hacía las mías exhibiendo gestos condescendientes a otros hombres, un beso lanzado al aire cuando el lord acertaba tres veces seguidas, un par de elogios escogidos con esmero para Anthony, o solo una caricia que cruzaba la mesa para alcanzar la mejilla sonrojada de uno de los artistas. Elinor trajo unos bocadillos de queso y salame, y cervezas para beber. Aún el juego no acababa cuando me levanté para ir al baño.

No sé cómo alcanzó antes que yo el pasillo. No tuve tiempo de abrir la puerta del baño, su sombra me detuvo. Soy incapaz de explicar lo que ocurre en instantes como ese, pero lo cierto es que me obsesionaba mi necesidad de entrar al baño. Y se lo dije. Me sonrió, él mismo abrió la puerta y encendió la luz. Se dibujó una estela sobre el pasillo oscuro. Dejé la puerta abierta, me subí la falda y me senté en el escusado. Jeremy se acodó en el quicio de la puerta y se quedó mirándome. El ruido de mi orina retumbaba en mis oídos hasta hacerse una tormenta. Nunca antes había orinado en presencia de un hombre. Recordarlo resulta inmensamente lento, por las imágenes que cruzaron mi cabeza, por la intensidad de cada segundo allí transcurrido.

Tenía la sensación de que Jeremy escrutaba cada gesto mío con inquisición científica. Podía escuchar el rumor de sus pensamientos: «Espécimen femenino se recoge en sí mismo, sus ojos están abiertos pero vacíos, comprime los puños para propulsar el líquido que empieza a caer lento al principio, con más fuerza unos segundos después». Por el pasillo, apenas iluminado con el haz de luz que dejaba la puerta entreabierta del baño, llegaban las voces de la sala, las extravagantes carcajadas de Anthony y Elinor, el compás de un clarinete poco estridente, el crujir del fuego; y tras las ventanas, en algún lugar de aquella húmeda oscuridad, imaginé el parque, el bosque y los pájaros nocturnos volando rasantes sobre las copas de los árboles. Más remota aún vislumbré la carretera, y de aquella ruta de asfalto vi brotar un conductor ebrio que remontaba una cuesta, y frente a él, una jovencita de falda muy corta, y brillantes pestañas postizas cargadas de gotitas de agua. Intenté advertirle a la chica del peligro que corría su vida, del automóvil desenfrenado pronto a arremeterla, pero mi voz no brotaba porque era yo quien estaba allí sentada, disminuida por la mirada escrutadora de Jeremy, quien sin mover un músculo de su cuerpo, se abalanzaba sobre mí como el automóvil ebrio, hasta que de pronto, no sé de qué forma, confundida como estaba, me levanté, al tiempo que me subía los calzones. Entonces escuché el último susurro de su silencio: «La hembra ha concluido y ahora mira expectante».

Estábamos de pie uno frente al otro. De pronto sus brazos rodearon mi cuerpo y yo escondí la cabeza en ese pequeño reducto. Nada en él me resultó extraño mientras me abrazaba. Tuve la impresión de que éramos dos amantes reencontrándonos después de mucho tiempo. Nunca nos habíamos tocado, escasamente hablado; no compartíamos ningún recuerdo, apenas unas cuantas miradas. Sin embargo, nos abrazamos con la fuerza de los que se encuentran de nuevo. Así juntos, nos movimos unos pasos hasta alcanzar el pasillo; no sé quién guiaba al otro, solo sé que él apoyó la espalda contra el muro y nos fuimos cayendo hasta quedar en cuclillas con las piernas liadas. Me dio risa (él también rió) cuando lo vi deshaciendo con dificultad uno por uno los botones de mi blusa hasta toparse con mis pechos desnudos. Un fondo de música y voces nos alcanzaba, nos mecía; él me besó susurrando vocablos que yo no entendí, pero que me agitaron.

En ese momento escuchamos crujir la puerta del pasillo y nos reincorporamos con dificultad. Fue entonces, cuando yo me alisaba la falda y advertía el esfuerzo de Jeremy por normalizar su respiración, que vimos la silueta inconfundible de Elinor que se acercaba. Por primera vez tras su fachada impasible (aún bajo el efecto de sus múltiples somníferos o estimulantes, Elinor guardaba una equilibrada y serena distancia tan propia de las mujeres inglesas) vi su mentón temblando y sus puños agarrotados bajo la tela de sus bolsillos. Pasó con su andar levemente disparejo frente a nosotros sin decir palabra y entró al baño. Nos apresuramos hacia la sala, primero entré yo y luego Jeremy.

Nuevamente la música y las voces adquirieron densidad. Una consistencia sólida se interpuso en nuestro lazo hasta casi quebrarlo; la rubia mimando a Jeremy, y Elinor que al instante había retornado, reclamando mi atención. Nos mirábamos despidiéndonos. Un viento poderoso e invisible nos alzaba de los hombros y nos empujaba en diferentes direcciones. Miré a Elinor y todo en ella me produjo dolor: su verborrea, sus evidentes complejos, su pavor a la fuga inexorable de los años y sus infructuosos intentos por atraparlos. Su patética obsesión por mí. Recordé sus manos en mi cuerpo y sentí espanto. Debo haber tenido una expresión acongojada porque a pesar de su obvia intención de ocultar lo sucedido entre nosotros, Jeremy extendió una mano a lo largo de la mesa de juego para tocar la mía.

A la mañana siguiente cuando desperté ya no quedaba nadie. Todos habían partido a sus respectivos trabajos, la galerista a su galería, los artistas a sus talleres y Jeremy a impartir su clase del lunes por la mañana. Lo más probable es que hablara sobre una mosca llamada *Drosophila Melanogaster,* su más fiel acompañante, según había expresado él, cuando la noche anterior alguien le preguntó qué diablos hacía en el Departamento de Genética de la Universidad de Cambridge.

*

Ana no está segura cuánto rato han pasado allí con Daniela. Está oscuro y la cantina se ha llenado de parroquianos que las observan curiosos. Daniela la mira con sus ojos llanos, asintiendo de tanto en tanto, rozando su mano cuando ve asomarse la emoción en su voz. La mesa se ha vuelto un bosque de cervezas, y Jeremy, lejos de haberse diluido, está más presente que nunca. Es infructuoso lo que está haciendo, recapacita Ana, intentar alejarlo trayéndolo allí a ese puerto y a Daniela.

—Ahora te toca a ti. ¿Cómo conociste a Rodrigo? —pregunta Ana de pronto.

—¡Eres una tramposa! —exclama Daniela.

—¡Ah no! Tú quieres que yo te cuente mi vida y tú nada. Además, debo reconocer que has cogido una presa bastante buena.

—¿Así te refieres tú a los hombres?

—Presa, hombre, burro, dios, máquina de caricias, amante, peor es nada, consolador, amigo, compatriota, y otras tantas que ahora no me acuerdo.

—Marido jamás supongo.

—Bueno, marido mío no, pero de otras muchos.

—Eres mala, tía Ana.

Ana se sonroja y desvía la mirada.

—Dime, Ana, por favor —le pide intentando una sonrisa mientras aplasta una colilla en un cenicero de greda con manchas de aceite. Daniela tiene ahora una expresión afligida.

—¡Ah!, me acordé de otro: el hombre espuma —continúa Ana para alejar las inesperadas tinieblas.

—A ese sí que no lo conozco.

—El que vive y muere por la espuma de la vida. Es decir, la nada. A veces rezo por ellos, para que se salven de la idiotez.

—¿Tú rezas? Eres de verdad desconcertante, tía. Ah, no, lo olvidaba, Ana —dice, tapándose la boca con los ojos derramando risa.

Pronto salen del bar en busca de un lugar

donde pasar la noche. Del poeta ya no hablan. Se suben a la moto. Daniela se ve feliz, la expresión un poco apática en su rostro ha desaparecido, y sus mejillas pálidas se han coloreado con el paso de las horas.

Los cerros, bajo la primera oscuridad del crepúsculo, también despiden un tono ardiente.

Cata

Ayer fui al departamento de Daniela por primera vez. ¿Le dije el otro día que se iba de viaje con Ana? Ya sé, es un detalle importante, pero creo que no se lo dije de tanto que me estrujaba el corazón. Ana es fotógrafa. Tiene que tomar unas fotos en Valparaíso y en otros lugares de la costa para un diario inglés o algo así; no sé exactamente qué. Se supone que ese es el objetivo de su viaje a Chile y se supone que Daniela se fue con ella para ayudarla. Es ridículo, porque mi hija no tiene idea de fotografía.

De veras no sé por qué me afecta tanto.

Quería ver a Daniela antes de que partiera y sabía que si la llamaba, me diría que mejor no fuera. Imagínese que nunca nos ha invitado con Joaquín a su departamento y, bueno, yo tampoco me he atrevido a pedírselo. Han pasado dos años desde que se fue, ¿se da cuenta?

Fue ayer en la tarde, como a las siete. Pasé por mi tienda y de regalo le elegí una tenida para su viaje. No era una decisión fácil, pero me armé de valor y partí. Me estacioné a varias cuadras del departamento de Daniela, porque en esas calles del centro, usted sabe, es imposible encontrar un lugar y le juro que mientras caminaba, de puro nervio empecé a transpirar. La primera impresión me la llevé cuando descubrí que el edificio de

Daniela era lejos el más destartalado de toda la cuadra. Un conserje me dijo que el ascensor estaba malo y que debía subir por las escaleras. Cinco pisos por una escalera endemoniada. Por suerte hago gimnasia, si no, estoy segura de que no hubiera llegado. Mientras subía el silencio era total, solo escuchaba mis pasos y, en cada uno, todas esas emociones que habían estado sumergidas me fueron ahogando, hasta que en un momento no sé cómo, me corrían las lágrimas... Sí, igual que ahora. Lo siento. No me gusta llorar aquí. Gracias, no traje pañuelo. Pensé en Daniela, subiendo sola esas mismas escaleras oscuras y frías; imagínese, cuando puede vivir junto a nosotros, protegida, con su guatero de oso, sus desayunos en la cama. La verdad es que yo no entiendo cómo pudo dejar todo esto. A menos que haya huido de algo muy terrible. Algo que yo ni sospecho.

También, por primera vez se me ocurrió que Daniela podía de verdad estar enamorada de ese galán de teleseries, y la sola idea de que ella sufriera de amor, porque en el amor se sufre y eso no lo voy a discutir ahora, me dio una pena atroz. Pero sobre todo, y esto es lo terrible, sentí compasión de mí misma. De veras. Me vi con mi ridícula bolsita en la mano camino a un lugar donde sabía no sería bienvenida. Imaginé a Daniela abriéndome la puerta entre sorprendida y enojada, tratando de sonreír para no herirme. Sabía que ella evitaría cualquier emoción que pudiera aproximarnos, que se comportaría como si fuera lo más natural del mundo que yo, su madre, estuviera allí por primera vez después de dos años. Sabía también que al poquito rato ella encontraría una excusa para salir volando a algún lugar. Daniela está siempre apurada, siempre en marcha y con su apremio me hace sentir que soy una molestia, un obstáculo que se interpone en su camino.

Toqué el timbre un buen rato, hasta que me di cuenta de que no sonaba y entonces golpeé la puerta y apareció un tipo joven con una barba de varios días. Le pregunté si estaba Daniela y el tipo me miró de arriba a abajo. Me sentí como una antigua pieza de museo observada por un estudiante de arte moderno. Recién entonces recordé que hasta hace unos segundos venía llorando y que mis ojos debían estar repletos de lágrimas o al menos enrojecidos. Me dijo que Daniela ya se había ido.

En ese instante me sentí inmensamente sola. Me quedé parada en la puerta como una idiota sin decir palabra. ¿Quieres dejarle algún mensaje?, me preguntó el tipo. Dígale que vino su mamá, le dije yo, y le entregué la bolsa que le había llevado a Daniela. Entonces la expresión del tipo cambió. ¡La madre de Daniela, qué honor! Ella habla mucho de ti. Eso dijo. O algo así. No pude ocultar mi desconcierto ni tampoco un cierto entusiasmo. Una curiosidad irresistible por saber qué decía Daniela de mí, me hizo aceptar la invitación del joven a tomarme una taza de café.

Rodrigo, el novio de Daniela, dormía. Según el chico, Rodrigo había trabajado toda la noche y parte del día en la filmación de la teleserie. Qué hacía él ahí, no me atreví a preguntarle. El departamento era terrible. Habían tenido sin duda una juerga la noche anterior, porque había vasos y botellas por todas partes. Por suerte alguien había abierto las ventanas y, aunque entraba un aire frío, al menos no había mal olor. Tuve que reprimir un suspiro de espanto. No había café, ni tazas, ni tetera siquiera. Era todo mucho, muchísimo peor de lo que me había imaginado. Tuve la sensación de que allí no había amor... Sí, puede ser, no al menos el amor que yo conozco. Me senté en una silla. Mi desolación debe haber sido notoria porque Gabriel, ese era su nombre, se sentó al lado mío y me dijo que Daniela siempre hablaba de lo estupenda que yo era y que, ahora lo veía, tenía toda la razón. Me tuteaba como si fuera lo más natural del mundo, mirándome con una extraña insistencia. Tengo que confesarle que eso me cohibía. Apreté mi chaqueta contra mi cuerpo para cubrirme y él sonrió, consciente del efecto que tenía sobre mí. Es de locos, ¿verdad? Yo iba de visita a ver a mi hija y terminaba casi flirteando con un amigo de ella. Y le juro que la situación en lugar de halagarme, me producía repulsión.

¿Usé esa misma palabra para lo de Ana en el pasto? Ya veo, pero por favor no me interrumpa, que ya es bastante difícil para mí contárselo.

Daniela le había comentado que yo diseñaba ropa, que tenía un gusto increíble y que vestía a las señoras más elegantes de Santiago. ¿Se da cuenta? No puedo creer que Daniela diga esas cosas. Ella siempre ha mostrado una total indiferencia, incluso rechazo, por lo que hago. Le parece la actividad más superficial del mundo. Ya le conté lo que ocurrió en uno de sus cumpleaños. Desde ese día en adelante se negó a que yo la vistiera y, apenas tuvo la edad suficiente, empezó a comprar sus cosas en las tiendas de ropa usada. Su forma de vestir ha sido siempre un problema entre nosotras. Gabriel es diseñador de vestuario y trabaja en el Teatro Municipal. Bueno, eso me contó él. Me dijo, además, que Daniela es la mujer más generosa que ha conocido nunca, que siempre está preocupada por sus amigos y que si no fuera por ella y sus sabios consejos, quizás qué idioteces hubiera hecho él en la vida. No sé, siempre he visto a Daniela tan desorientada, que me cuesta imaginarla conteniendo a un hombre hecho y derecho como ese Gabriel. Es una dimensión desconocida de mi hija que me emociona, pero que también me muestra lo poco que la conozco.

Los dos nos quedamos callados un rato; yo pensaba en todas estas cosas y él como que se puso melancólico y miraba por la ventana, una ventana minúscula por la que en realidad no se veía nada; solo se escuchaban los ruidos de la calle, los bocinazos de las micros y las voces de dos mujeres que se hablaban a gritos en la escalera. De repente me dijo algo que de verdad me sorprendió. Me dijo que Daniela estaba con él cuando le tocó vivir el momento más difícil de su vida. Lo dijo en un murmullo, tan bajito, que tuve que hacer un esfuerzo para entender sus palabras.

Noté una expresión rara en su rostro, tristeza, pero también algo más, rabia quizás, o espanto; sin embargo, no quise preguntar. Debo confesar sí, que me moría de curiosidad. No solo porque implicaba saber de mi hija, sino que también, y eso fue lo que me detuvo, porque significaba conocer algo importante de él. El chico era extraño, nunca me había encontrado con alguien así, no sé, parecía no tener ningún mecanismo de defensa, se entregaba a hablar y a mirarme con ojos de perro abandonado, como si fuéramos viejos amigos. Pero, ¿sabe?, su llaneza, esa intimidad que él generaba con sus confesiones a medias, en lugar de producirme confianza, me intimidaba. En un momento dado, tomé mi cartera y me levanté. Entonces Gabriel, con una amabilidad que le juro bordeaba la provocación, me dijo que no me fuera tan pronto.

Me da vergüenza contarle lo que ocurrió después, aunque no es nada realmente; es más bien lo que sentí.

Sí, sí sé, tengo que decirlo. Para eso estoy aquí. Gabriel me acompañó a la puerta y me dijo que yo era mucho mejor de lo que se había imaginado por las descripciones de Daniela. Yo sabía que estaba mintiendo, pero qué importaba, su mentira era un bálsamo para estos cuarenta años que se me vienen encima. Me dio un beso en la mejilla y se quedó allí más tiempo del necesario. Sentí su respiración a tan solo unos centímetros de mí. Era una respiración fuerte que debía provenir de una gran caja torácica. ¿Sabe?, en su proximidad sentí su perfume, pero también, y esto fue lo que más me perturbó, ese denso aroma que destilan repentinamente los cuerpos, ese extraño perfume que huele a flores carnosas, no sé, a sábanas después del amor, a canela, a aquel aroma aturdidor y envolvente, ese que intentan esconder las fragancias sintéticas. Usted me entiende, ¿verdad?

Bajé las escaleras corriendo. Caminé de

vuelta al lugar donde había dejado mi auto como si el mismísimo diablo me estuviera siguiendo.

Solo hoy caí en la cuenta de que fui una estúpida. Gabriel pudo contarme miles de cosas de Daniela y yo lo detuve. No tengo idea de quiénes son los amigos de Daniela, dónde va, y tampoco si esa vida que lleva la hace feliz, porque lo que es a mí, nunca me va a contar la verdad. Es capaz de morirse antes que admitir que se ha equivocado o que está desencantada... En eso somos iguales.

Daniela

—¿Te gusta aquí? —me pregunta Ana. Estamos detenidas en un semáforo y frente a nosotras se levanta un caserón rosado. Pensión Las Rosas, leemos en un letrero rojo de neón que da a la calle. Aparcamos la moto en un pequeño antejardín lleno de tallos de rosa cortados. Sobre el arco de la puerta, envolviendo un farol de fierro, dos querubines sonríen melancólicos y nos apuntan con sus flechas. Después de sacarse el casco, Ana se pasa los dedos por el pelo y sus variados tonos de rojo brillan con la luz del farol.

La puerta se entreabre con un chirrido y por el agujero surge un ojo colmado de pestañas postizas y asombro.

—¿Sí? —escuchamos preguntar a una voz vacilante.

—Quisiéramos tomar una pieza —dice Ana.

—¿Están seguras?

—No sé, usted dirá, por el cartel de afuera, pensamos que tendría piezas —dice Ana a punto de estallar en una carcajada.

—Lo que pasa es que hoy mismo puse el letrero y ustedes son mis primeras pasajeras. —A los ojos se ha sumado una boca grande y bien cuidada.

—Ah, pero eso es un honor para nosotras, señora —dice Ana.

Por fin la mujer se anima a abrir la puerta y dejarnos entrar. Lleva una larga bata rosada, del mismo tono de la casa.

—¿No traen equipaje?

—Pues... no.

Una sombra de desilusión cruza el rostro de la mujer. Sus primeras pasajeras no son pasajeras de verdad; además, traen la ropa arrugada y tufo a cerveza. Pero Ana está alegre y toma a la mujer de un brazo y le dice que su pensión es muy linda, toda pintada de rosado. Las murallas y los muebles tienen el exacto color de los vestidos de la Barbie, y sus obesas butacas de coberturas en tonos cercanos al rosa, despiden una olorosa pulcritud. Por la expresión de orgullo en su rostro no cabe duda de que se ha pasado días, o meses incluso, preparando y tramando hasta los más ínfimos detalles de este instante. Ahora camina ante nosotras meneando sus amplias caderas. Su larga bata que se eleva, le da un aire de hada-bien-vivida.

—Les voy a dar la mejor pieza, la de la torre. De ahí se ve el mar.

Subiendo las escaleras nos cuenta de su reciente viudez, de su hija que ha partido con un médico escocés a recorrer el mundo, de cómo surgió la idea de transformar su casa en una pensión para paliar la soledad y las deudas que dejó su marido, «que en paz descanse», dice de pronto santiguándose.

La mujer abre la puerta y con una expresión ufana, extiende el brazo para que entremos. Con Ana nos miramos y no podemos contener un alarido mientras batimos las palmas de alegría y sorpresa, porque de seguro no hay en Valparaíso y acaso en el mundo entero un lugar así. Una cama cubierta de tules navega en medio de la habitación; sobre primorosas repisas rosadas, decenas de muñecas y animales de peluche parecen conversar entre ellos y, por todas partes, incluso en la puerta del baño, cuelgan acuarelas de gatos, conejos y perros. Seguramente fueron pintadas para esa niña que partió a recorrer el mundo y que durmió bajo ese tul blanco que cuelga de una corona de flores artificiales sobre la cama, y soñó, entre ese montón de almohadones bordados, que algún día partiría lejos y otras niñas vendrían, como nosotras, a soñar con doctores escoceses y con barcos. Por la ventana, más allá de la constelación de luces de la ciudad, se ve el mar.

—Por favor, despiértenos a las nueve. Mañana tenemos que trabajar mucho —anuncia Ana a la mujer y luego me echa una mirada de agotamiento prematuro, ante la perspectiva de levantarse temprano.

—A las nueve en punto yo misma las despierto —dice la mujer al salir.

—Apenas terminemos la foto del poeta tenemos que partir a Horcón; yo creo que si estamos en su casa a las diez, como a la una debiéramos estar listas —me dice Ana una vez que estamos solas.

Noto una cierta firmeza en su rostro al enunciar nuestras labores de mañana. Y se asoma la profesional, la fotógrafa responsable y perfeccionista que viaja por el mundo.

—¡Un baño, eso es lo que necesitamos! —exclama Ana e imitando el gesto de los monos animados cuando se disponen a acelerar, enfila

hacia el baño y echa a correr el agua de una bañera cuyas patas tienen forma de garras de león. Ana
vierte el contenido de un frasco de sales en el agua
y un aroma a frutilla se alza junto con el vapor que
ya inunda el baño. Nos desvestimos lanzando por
la puerta nuestra ropa que cae desordenada sobre
el piso recién fregado. El vello del pubis de Ana
tiene el exacto color rojizo de su cabello. Sus pechos firmes apenas tiemblan y su cuerpo largo y
perfecto se mueve con tal expresión, que cada uno
de sus gestos pareciera estar destinado a una cámara oculta. Su piel tiene el color bronceado y parejo
de los que jamás abandonan el sol ni usan trajes de
baño. No me cuesta imaginar la excitación que
debe producirle a un hombre succionar sus sucu-
lentos pezones o, simplemente, observarla bailar al
son de unos compases del estilo *New York, New
York,* para luego sumergirse en la bañera.

Me he quedado mirándola como una boba
y ahora ella me jala de un brazo para que entre al
agua caliente y espumosa. Ana ha tomado una
esponja y rebosándola de jabón la desliza por mi
espalda. Yo bajo la cabeza, azorada la escondo en
mi pecho, en tanto siento sus dedos que recorren
uno a uno los nudillos de mi espina dorsal. Un
temblor atraviesa mi cuerpo, quiero que se deten-
ga, aunque al mismo tiempo alguien dentro de mí
ansía que continúe. Distingo el olor de Ana, el olor
cercano y a la vez desconocido de una mujer diferente a mí cuya similitud me repele, pero que a la
vez, por eso mismo, me atrae. Recuerdo entonces
lo que me ha contado unas horas atrás e imagino
los dedos de Elinor tocando aquel lugar de su cuerpo que ella describió con tanto ardor y que yo

desconozco, y de pronto, un ser agazapado en los pliegues de mi pellejo implora que Ana me lo revele. Pero no. Ella extiende su espléndido cuerpo a lo largo de la bañera y enciende un cigarro.

—¿Te molesta? —pregunta.

—¡Fumemos! —exclamo mientras alcanzo la cajetilla y los fósforos que ella dejó sobre la tapa del retrete. Con la primera bocanada de humo ya estoy calmada. Hay una parte de mí que siente alivio y otra que delira de curiosidad. Fumamos tendidas en la bañera de loza, observando por la claraboya del techo rosado un pedazo de cielo y unas cuantas estrellas tempranas. En lo alto, a centenares de metros, un jirón de nube en forma de dedo apunta en dirección al mar.

*

—El mejor restaurante está aquí cerquita, pueden ir a pie. Suben por la escalera de la esquina y luego caminan un par de metros derechito hacia el mar, no hay dónde perderse —nos indica el hadabienvivida cuando Ana le pregunta por un lugar para comer. En la recepción, un joven con los codos sobre la mesa nos mira sonriente. El hada nos cuenta que, en el intertanto, llegó una pareja de aire distinguido que traía maletas; esto último lo dice con ironía mientras pellizca mi brazo al modo de las tías menopáusicas. Al cerrar la puerta, observo una vez más los querubines con su sonrisa mineral fijada en nosotras.

El movimiento nocturno se ha iniciado en la calle. Se levanta una brisa que hiela los huesos; para espantarla, subimos la empinada escalera corriendo. En la mitad del camino nos detenemos a mirar el mar extenso y negro, salpicado de luces solitarias. A un costado, la luna se apoya en uno de los cerros. Y entonces, con una voz apenas audible, le doy las gracias a Ana por este día. Ana me ha oído y me dice que es ella quien tiene que agradecerme por acompañarla. Además, me advierte que el día está lejos de llegar a su fin. Animada me toma de una mano y seguimos subiendo. Al alcanzar el restaurante, el puerto entero se despliega ante nosotras.

Nos sentamos en un rincón de la terraza. Imagino que en verano deben sacar esta carpa de plástico a través de la cual el mar se ve a cuadritos. Un mozo prende una vela y, con una libreta en las manos, se dispone a recibir nuestra orden. Ana toma el menú y pide todos los platos de mariscos que allí aparecen. Yo le advierto que con un pescado a la plancha me basta, pero ella insiste en probarlo todo, absolutamente todo, hasta hartarse de mar. Usa la palabra «hartarse», palabra que retumba en mis oídos como un disparo. Hasta este instante no era yo quien volaba en una moto guiando a Ana, no era yo quien reía y escuchaba sus increíbles historias. Había olvidado. Creo que me he ensombrecido porque con su voz chispeante, Ana me pregunta qué me sucede. Cierro un segundo los ojos. Debo hacer que los tramoyistas de mi cabeza cambien el decorado de mi mente, que saquen las cortinas negras y vuelvan a pintar esta noche de colores.

—¿Seguro que estás bien? —vuelve a preguntar Ana, al tiempo que toma mi mano.

—¡Pues, claro! —replico con mi mejor

sonrisa. Lo he logrado. Vuelvo a ver el rostro expresivo de Ana y su cabello rojo brillando con la luz de la vela; su sonrisa es tan vasta como mi propio deseo de encantarla.

Comemos. Ana picotea un poco de todo: erizos, machas a la parmesana, mariscal de piure. Una gran servilleta blanca cuelga de su cuello. Crece su entusiasmo con el par de locos que el mozo ha traído ocultos entre unas hojas de lechuga, pero su exaltación alcanza su punto más sobresaliente con el caldillo de congrio, del cual toma una cucharada con detención y deleite. Mientras tanto, yo desmenuzo mi escuálido pescado a la plancha con lechuga, acompañado de un montón de cigarros y coca-cola light. Ana se regocija al comer, me digo para mis adentros. Pero no es el goce que yo siento en mis atracones. El mío es turbio; el de ella, luminoso. Afortunadamente, Ana no es consciente de la guerra que se lidia en mi interior: diablos y duendes que pugnan por mi voluntad. «Come todo lo que quieras», me dicen los diablos, «después te vas al baño y lo botas», en tanto, los duendes me piden que por una vez sienta el sabor del mar. Y yo en medio de esa batalla me digo que soy incapaz, que si abro la boca ya no podré cerrarla, que soy débil, que soy inútil. No quiero que Ana me vea comiendo desenfrenada. Su modo, en cambio, es delicado y sensual. La diferencia entre nosotras es evidente. Yo vomitando, ella cautivando; yo soñando despierta, ella viviendo; yo mintiendo, ella enseñándome su vida con la soltura de quien despliega un mapa. Yo presa sin saber cómo salir a respirar, Ana, ágil y graciosa aspirando el mundo. No sé si es el vino —que por la insistencia de Ana no he podido evitar— o la luz de la vela, o el mar a cuadritos que me marea, pero de pronto estoy hablando. Escucho mi propia voz. Le cuento mi farsa sin grandes aspavientos. Le digo simplemente que he pretendido tener un gran papel en la obra que estamos montando, aunque la verdad es que apenas me han dado el rol de un mensajero, un mocoso que nadie ve y a nadie interesa. Estoy hablando y las palabras aparecen exentas de lástima por mí misma. Ana me mira con sus ojos límpidos y ríe. Y no es que no le importe o al menos eso creo, solo que lanza mi secreto al canasto de los juegos, de los actos que hacen la vida más divertida. Hay incluso deleite en su expresión, como si al revelarle ese recodo oscuro de mi ser, ella estuviera viéndome por primera vez. Quisiera abrazarla, decirle que por mucho tiempo no me había sentido así. Mi pecado ya no es merecedor del infierno, es un juego como tantos otros, que puedo desbaratar con un gesto cuando se me antoje.

Entonces Ana me dice algo que arroja una nueva luz. Me dice que el desafío de un actor es el de volver memorable un personaje insignificante; es obvio que Yocasta o Edipo con sus palabras, hasta en la más mediocre de las interpretaciones, tiene que producir algún impacto sobre el espectador. Pero no ocurre lo mismo con ese chico mensajero, que solo en manos de una buena interpretación, con su andar sigiloso, con su mirada suspicaz, con su silencio elocuente, puede sobrevivir. Es algo que les he escuchado un millón de veces a mis maestros y a esos grandes actores que en su puta vida desempeñaron un papel secundario, y si algún día lo hicieron, hace tiempo que ellos y los demás lo olvidaron. Lo he sabido siempre, pero de alguna forma en la boca de Ana suena más verdadero de lo que nunca antes me había parecido. ¡Dios, qué fácil suena!

Ana tiene la mirada fija en el horizonte, como si allí hubiera encontrado algo que la transportara con su belleza. Ana es a veces intrincada y leve como una seda llena de encajes. Cuando salimos a la calle me doy cuenta de que yo también me he vuelto leve como Ana. Puedo volver a Santiago y revelarle con esta misma soltura mi secreto a Rodrigo, puedo luego llegar al ensayo y hacer de mi esmirriado mensajero un personaje.

Por una dirección, la calzada desaparece en la oscuridad total; por la otra surge la escalera que se precipita al puerto. Un viento fresco y salino agita unos envoltorios de plástico en los escalones, que revoloteando junto a nosotras, descienden hacia Valparaíso. La noche de luces volantes en los cerros, y de estrellas jugueteando incansables en el agua, tiene un tono fosforescente.

Ana

Caminan a la deriva circundadas por hippies que venden sus artesanías sobre las aceras, gordas coloridas que jalan a los paseantes con atrevimiento, marinos con expresión de niños ganosos. Llaman la atención de Ana las fuentes de soda con sus tubos fosforescentes y sus escaparates de hotdogs, chacareros, Barros Jarpa, Barros Luco, nombres que Daniela va enunciando sorprendida de su ignorancia.

—¿En qué mundo vivías? —pregunta. Y Ana no sabe qué contestarle, será en el mundo que acababa en la Plaza Italia, donde ciertamente no se comían chacareros.

—¡Quiero un chacarero! —exclama Ana de pronto.

—Pero si recién comimos.

—Quiero un chacarero ahora —repite divertida—. No es para comérmelo, solo quiero sentirle el olor. No me mires así, te juro que no estoy loca. Tú puedes tomarte un par de esas cocacolas light que tanto te gustan y que no entiendo para qué tomas, con esa flacura tuya...

Daniela la mira con expresión consternada.

—¿Yo flaca?

—¡Pero si eres un palo! Nada por aquí, nada por allá —le dice Ana, dándole unos pellizcones en la cintura. Daniela parece encantada, como si Ana le hubiera revelado la quinta maravilla del universo. La toma del brazo y exclama:

—¡Al ataque entonces!

Ya se ha dado cuenta Ana de que Daniela no come nada y que su cuerpo arroja señas de desnutrición. No es el momento de hacer un comentario al respecto, pero está prácticamente segura de que Daniela es anoréxica. Joaquín no mencionó nada. ¿Será uno de esos secretos a voces, tan usuales en las familias chilenas? ¿O serán él y Cata tan ignorantes para no advertirlo?

Enfilan hacia el puerto, Ana con su chacarero y Daniela con un par de cajetillas de cigarros. No muy lejos, se detienen en una plazoleta al borde del mar. Minúsculos boliches de artesanía dibujan el contorno de la plaza con un halo de luces blancas y frías.

—De todas, todas las cosas, ¿qué es lo que más te gusta en la vida? —pregunta Daniela con una voz alegre, alada.

—¡Secarme el pelo al sol! —replica Ana sin dudar—. Salir una mañana de primavera después de un horrendo invierno inglés al balconcito de mi departamento y retozar como un gato. Eso es definitivamente lo que más me gusta. Y mejor aún si es en el departamento de Jeremy, frente al parque de Hampstead con sus lomas siempre verdes y sus cometas coloridos que tienen forma de pájaros, dinosaurios, estrellas...

Jeremy. Ha nombrado a Jeremy. Es tan estúpido que ni ella misma lo cree. Ahora por supuesto, Daniela insiste en saber qué sucedió al día siguiente en la casa de Elinor, y al siguiente y al siguiente. Ana enciende un cigarro y mira la oleada de puntos luminosos que pueblan los cerros.

*

Tres días después de que Jeremy y los otros invitados se marcharon de la casa de Elinor, tomé el auto y partí a Cambridge. No estaba muy lejos, solo a cuarenta minutos. La tarde anterior, después de averiguar por teléfono el lugar y la hora de la cátedra que daría Jeremy ese jueves, pasé largas horas buscando qué ponerme. No era precisamente el qué, era el cómo, la intención, lo que se me escapaba. Quería obnubilar a Jeremy. Revelarle todo lo sensual que podía llegar a ser. Comprendía también que no podía transformarme en un semáforo en las circunspectas y biológicas aulas del Cambridge University School. Tú sabes, cada detalle es un gesto: por ejemplo, la promesa oculta tras un milímetro de escote o el oscilar de una tela al adherirse al cuerpo; para qué decir la mentirosa inocencia de un circunspecto collar de perlas o el vaivén libertino de un largo *foulard* colgado de un hombro. Al final, debo reconocer que no fui demasiado imaginativa, escogí un vestido negro un poco más arriba de la rodilla, altos tacones del mismo color y un abrigo blanco invierno también corto.

Mi propósito era llegar adelantada para ubicarme en un lugar que no fuera demasiado destacado, pero en el cual no pasara inadvertida a los ojos de Jeremy. Sin embargo, como ocurre siempre que intento concienzudamente hacer las cosas bien, llegué atrasada. La sala (de dimensiones desorbitadas) estaba repleta. Me armé de valor y me abrí paso a lo largo de un angosto pasillo; en el silencio mis tacones resonaron con estridencia. Jeremy detuvo la frase que había comenzado y con cierta sequedad indicó que me sentara en un asiento disponible de la segunda fila. No volvió a mirarme. Al principio no escuché nada, tan fuertes eran las voces que en mi interior me regañaban por arrojarme a lo imprevisto sin medir las consecuencias. Era un disparate estar allí sentada, vestida con desproporcionado esmero (me sentía una necia al recordar el ajetreo que había desplegado para vestirme) en medio de rostros deslavados y jóvenes que con frenesí tomaban notas y asentían en silencio, como si estuvieran ante la presencia de un dios. Pero poco a poco (atrapada como estaba no tenía más alternativa que escuchar), la voz de Jeremy empezó a filtrar mi pesar y mi azoro, y sus palabras de pronto adquirieron sentido en mi conciencia. En ese instante, Jeremy decía que todo, absolutamente todo lo que existe en el universo, está regido y es fruto de dos principios: azar y necesidad.

En un momento dado, no sé qué hilo de su argumento lo llevó a citar un pasaje que decía: «Cada grano de esta piedra, cada fulgor mineral de esta montaña, constituye un mundo. Por eso la lucha hacia la cima basta en sí misma para llenar el corazón de un hombre». Hablaba con vehemencia, con intensidad, mencionaba el corazón de un hombre y no pude dejar de imaginar su propio corazón palpitando. Había escuchado o leído en algún lugar esas palabras, pero no sabía dónde. Tenía esa misma sensación que produce divisar un rostro y saber que se le ha visto antes. De pronto recordé. Él no lo dijo, pero se refería al *Mito de*

Sísifo, de Camus, libro que yo había leído hacía tan solo unos días, cuando una lluvia desoladora golpeaba las ventanas de la casa de Elinor. (Y que después leímos mil veces con Jeremy, razón por la cual me sé el pasaje de memoria).

Azar. Necesidad. Montaña. Palabras que revoloteaban en mi mente, mariposas porfiadas que se negaban a marcharse. A decir por el vistazo que me echó el chico mofletudo que estaba a mi lado, creo que llegué incluso a nombrarlas. Al contemplar a Jeremy moverse allá adelante, con la pasión de quien no lanza palabras, sino bombas o flores, vi toda su brillantez. Lo vi inquieto, enérgico, manipulador; consciente del efecto que producía, se quedaba detenido en una frase, sus ojos se hacían pequeños y su rostro adquiría una expresión astuta y maliciosa, como la de un niño que intenta esconder un secreto. Supe que él era en ese instante la montaña que yo debía remontar. Era el mismo sentimiento, pero mil veces más consolidado, que había tenido esa noche en casa de Elinor, cuando no pude detener las lágrimas que procedían del placer, del desafío que me planteaba ese hombre con su descaro, con su displicencia. Tenía que intentarlo. En ese gran descampado podría al fin lidiar una batalla, una batalla que me devolvería la noción perdida de mi existencia. Porque solo en el vértigo, en la furiosa energía del deseo, del suspiro sostenido, del gesto que arrebata, puedo sentir la vida.

Muchas veces he pagado las consecuencias por esa costumbre mía de rendirme a un instinto, o a un impulso, pero sé que otros, la mayoría, por dudar, por limitarse a mirar la vida desde la acera, pagan aun más.

Lo esperé a la salida, sentada en las escalinatas de la sala donde él había dictado su cátedra. Después de varios días de lluvia, el aire era fino y limpio, el sol parecía tallar los objetos con perfecto detalle, haciéndolos sobresalir contra las sombras más oscuras. Al verme, Jeremy se sentó a mi lado. Sin decir palabra, nos quedamos mirando hacia adelante, hacia los estudiantes en sus bicicletas urgidos por alcanzar su próxima clase, hacia un «don» con su toga, que al caminar enfrascado en un libro, tropezó con otro, haciendo que ambos soltáramos una sonrisa.

—Sé que no tiene importancia, pero no logré saber si cuando Sísifo ya viejo mira su vida hacia atrás y, de alguna manera, se siente satisfecho con el camino que ha seguido, ha alcanzado por fin la cima... —dije sin mirarlo después de un intenso y prolongado silencio.

—¿Lo leíste? —me preguntó Jeremy, alzando los ojos perplejo.

—Hace unos días.

—¡Esa sí que es casualidad! Yo le regalé ese libro a Elinor.

—Me gustó la portada, por eso lo tomé de su biblioteca.

—Sísifo sobre una piedra que es el mundo. Yo me refería a un libro de un científico y filósofo francés que justamente se llama *Azar y necesidad,* y que comienza con esa cita de Camus.

—¿Cuánto hay de azar y cuánto de necesidad en todo esto? —pregunté, cargando mis palabras de ironía.

—Según Einstein, Dios no juega a los dados, y yo te diría que tiene razón. Al menos en este

instante no es el azar el que nos tiene aquí sentados uno al lado del otro —me dijo y tomando mi
mano, la escondió bajo su largo abrigo negro.
Comprimí los dedos en su entrepierna. Se movió.
Parecía un animal vivo. Cuando yo más compri-
mía, más inmediata era su respuesta. Podía sentir
la consistencia sólida bajo la tela de su pantalón y
el calor que alcanzaba mis dedos. Ciertamente en
ese momento era la necesidad, en su forma más
pura y salvaje, la que nos movía a romper nuestras
simetrías originales.

Caminamos hacia su piso, pero dimos una
vuelta más larga para asomarnos al río Cam y los
parques de los *colleges* con sus *daffodils* que empe-
zaban a florecer. Cuando llegamos a su departamento, ambos estábamos impacientes. Noté su
ansiedad cuando intentó abrir la puerta y las
llaves no encajaban, cuando arrojó su abrigo sin
observar dónde caía y luego cogió mi mano sin
tomarse el tiempo de introducirme a su mundo
con alguna bebida, con alguna música de esas
empalagosas que ayudan a enlazarse.

Una vez en la pieza, nos recostamos en su
cama. Jeremy era más delgado y más blanco de lo
que había imaginado, más frágil, y también más
perfecto, como un adolescente ya crecido cuyas
proporciones han quedado intactas. Sus movimientos eran quedos, apenas rozaba mi piel. Fue
poco a poco dándole peso a sus caricias, hasta ha-
cerlas reales, hasta estremecerme. Me abrazó. Fue
un abrazo que me dejó sin aliento. Era una calentura que no se detenía en el gesto físico de rozar
mi piel u oprimirme conteniendo la respiración.
Había algo en su intensidad que rebasaba los límites

del momento. Cada gesto suyo tenía un peso único, una trascendencia que yo solo entendería cuando mucho después él me revelara la dimensión completa de ese encuentro. Solo sabía en ese minuto que su emoción conmovía todo mi ser. Nos amamos con esa urgencia de los que temen acabarse la vida de un suspiro. No hablamos ni nos hicimos preguntas. Durante esa noche y las horas que la precedieron, nuestros cuerpos prácticamente no se desligaron, había siempre un roce de hombros, un dedo acariciando a otro, un estrechar de manos, un delicado beso en el cuello.

A las cinco de la tarde del día siguiente, Jeremy recordó que había invitado a cenar esa noche a una de las pocas *professors* solteras que había en el *college*; era una mujer atractiva me dijo, y todos los catedráticos (incluidas algunas mujeres) la codiciaban. Nadie había logrado seducirla aún. Sus palabras me hirieron, pero también me dieron un sentido de realidad. No éramos más que un hombre y una mujer respondiendo a nuestras hormonas; el mundo entero estaba allá afuera, esas cientos de mujeres tanto o más deseables que yo, y por cierto, igual cantidad de hombres tanto o más fascinantes que Jeremy. Se sentó en una silla frente a la cama, se echó hacia atrás, marcó un número en el teléfono y luego con el auricular apoyado en su hombro levantó las manos y las enlazó detrás de la cabeza. Tenía una expresión distendida y burlona en el rostro. Me sentí ridícula. Acaso muy ocultamente había deseado otra cosa, un permanecer perenne entre esas cuatro paredes mecida por los brazos de Jeremy. Sentí vergüenza por ese sueño que se había infiltrado en mi

conciencia, y me obligué a recordar mi premisa
más básica de vida, aquella que dice: nada permanece, todo se mueve vertiginosamente hacia el futuro, es ridículo intentar atrapar los momentos
otorgándoles una trascendencia que no tienen.
Busqué mis zapatos, ¡estaba desnuda y buscaba
mis zapatos!, los que me encaminarían hacia la
puerta, hacia la calle, hacia la casa de Elinor. Jeremy, en la misma postura relajada, esperaba que
alguien respondiera el teléfono. Cuando comenzó
a hablar, su voz me sonó distante, era para otra
mujer que abría su boca, que suspiraba, que hacía
una pausa y, por eso, al principio no quise escucharlo. Pero de pronto hablaba más fuerte y lo que
decía me atañía directamente, decía que por fin
había encontrado a la mujer de su vida y que desde ese día no habría nunca una cita con ella (la
professor) ni con ninguna otra mujer. «Nunca», re-
calcó con decisión. No sé cuáles fueron las palabras de ella, pero hubo un silencio y, luego, un par
de palabras de Jeremy. Su voz era densa, como si
la espesase para ocultar el hecho de que estaba a
punto de largarse a reír. Vino un segundo silencio,
y entonces yo presentí que la mujer defendía su
dignidad a punta de sarcasmos intelectuales. La
intensa mirada de Jeremy se había detenido en mí;
yo, en tanto, con los zapatos en la mano, me había quedado inerte, en una posición que no iba ni
venía de ningún lado, como en el juego del «un
dos tres momia es», pero él no habría entendido
eso; solo debía advertir mi mirada consternada,
asustada incluso frente a esa declaración que había
llegado a mis oídos de una forma tan singular. No
corrí a abrazarlo. Él colgó el teléfono y yo me

senté en la cama con los zapatos aún en las manos, tenía la vista fija en un pequeño cenicero de plata que había quedado por descuido sobre el edredón. En su interior tenía las iniciales A.B.A., Ana Bulnes Ariztía dije en un murmullo. Y él dijo Annette Barton Akagi. Era su madre. «Azar y necesidad», dije yo de pronto, y él asintió con un beso que me dejó sin habla, sin aire, sin miedo.

Comimos maravillosamente, el exacto menú que Jeremy había proyectado para su noche con la *professor*. (Después tuve la oportunidad de conocerla en una fiesta en la casa del *Warden*, y más que una connotada intelectual, me encontré ante una mujer de casi dos metros, vestida y maquillada como un zorrón, ojos encendidos por el alcohol y tartamuda; eso sí debo admitir, con el don de hacer que sus trivialidades parecieran elevadas teorías filosóficas). La cena de Jeremy estaba compuesta por una sopa de setas, una pasta fresca con queso feta y espinacas, y un vino blanco bien helado. Jeremy lavó cuatro veces la espinaca y extrajo uno por uno los tallos. El queso feta y las setas gigantes se las había encargado expresamente a una de sus alumnas que viajaba todos los días a Londres.

Durante ese tiempo, hice continuos viajes de la casa de Elinor al departamento de Jeremy. En cada ocasión yo le aguardaba con algo que lo asombrase o lo conmoviera. Usé todos mis recursos, desde mis escasos conocimientos culinarios, pasando por la literatura, el cine y la mitología. No sé por qué lo hacía, quería acaso mostrarle de una vez todo lo que yo era, todo lo que podía ser, sin detenerme a pensar cuán peligroso era al fin y al cabo lo que estaba haciendo.

Un mes después partí a Londres. Mi agente había conseguido por fin que me llamaran de la revista *The Face*. Tenía que fotografiar a Wayne McGregor, el coreógrafo de Random Dance. Era la primera vez que esa revista, conocida por su excelsa y vanguardista fotografía, me asignaba un trabajo.

Jeremy me dejó en la estación de trenes. Recuerdo su brazo extendido, su figura ya familiar y brillante en el andén que quedó adherida a mi pupila por largo rato, mucho después que cruzamos la frontera del condado de Cambridge y desaparecieron las vacas sobrealimentadas y los prados de un verde inmaculado y comenzaron a emerger las construcciones del Council con sus paredes, chimeneas y almas de ladrillo, mucho después que alcanzáramos la estación de King's Cross y abriera la puerta de mi departamento y encontrara un mar de correspondencia, las plantas mustias, la cama deshecha, igual como hacía ya un mes y dos semanas la había dejado al partir con Elinor. Tuve la sensación de que allí estaba Jeremy, arribando a esa nueva vida junto a mí, vida que se colaba por las ventanas cuando las abrí para que entrara también la luz, el aire, la primavera. Esa tarde me lavé el pelo y me quedé en la terraza hasta que la luz declinante del atardecer se apagó.

Las siguientes semanas no paré de trabajar. Me sentía ligera, estaba a punto de reírme de cualquier cosa todo el tiempo. Me veía poseedora de una fortuna única, que me hacía caminar a unos cuantos centímetros por sobre el suelo, y mirar el mundo con unos cuantos grados más de optimismo que el resto de los mortales. Era la forma en que Jeremy estaba presente en mi vida.

The Face me siguió asignando trabajos y también la revista Dazed and Confused y sobre todo el Sunday Times Magazine. Todo ocurría con una velocidad vertiginosa. Las fotografías más agudas surgieron en esos días. Recuerdo especialmente a Sue Mann, sacerdotisa y vocera de una secta de la India. Muchas veces mientras Deborah, la maquilladora, hacía su trabajo, yo esbozaba en carboncillo a los personajes que debía retratar. Eran dibujos sin ningún valor artístico, que me daban sin embargo, el tiempo para observar a las personas y descubrir detalles de su fisonomía, que de otra forma no habría advertido. Luego, al emplazar la cámara frente a ellos, eran esos detalles los que buscaba plasmar en mis retratos. Esa vez quería descubrir su otro lado. Quería tornar al revés el tejido de su alma, en apariencia consistente y perfecto, y avistar su verdadero entramado. Dibujé la sonrisa perpetua de Sue, una suerte de actitud piadosa que la emplazaba sobre el bien y el mal; dibujé la boina de terciopelo rojo sobre su larga y canosa cabellera; dibujé también sus manos cargadas de anillos. La metamorfosis ocurrió al rato, cuando sus manos se volvieron ansiosas y voraces. No se estaban quietas, tocaban todo, los polvos de Deborah sobre la mesilla, un labial, su propio rostro; se retorcían, se escondían en los bolsillos de su traje para aparecer al instante con su voracidad renovada. Me recordaron un par de aves rapaces. En ese momento sin esperar a que Deborah finalizara su labor, tomé la cámara y me puse a disparar hasta lograr ver en el visor esa contradictoria combinación de su rostro y sus manos. La foto que resultó de esa sesión obtuvo un premio en el certamen que organiza la World Press Association.

Durante ese tiempo mantuvimos con Jeremy un contacto diario por teléfono. Nos hablábamos por las noches, cuando ambos habíamos terminado nuestro ajetreo, y, con un vaso de vino blanco él, de cerveza yo, nos poníamos al tanto de nuestras vidas. Pero no conversábamos de hechos, de reuniones, de sus clases e investigaciones, sino de nosotros, de lo que sentíamos y añorábamos, de lo que nos faltaba y nos hería. Hablábamos de nuestras fantasías. Y era entonces que nos decíamos las palabras más lujuriosas y comprometedoras, y sobre todo nos hacíamos las promesas más difíciles de cumplir.

Dos meses después de mi primer encuentro con Jeremy en casa de Elinor, *The Face* me pidió fotografiar a Trevor Dunham. Para entender lo que ocurrió es importante decir que Trevor es un guionista de agudeza implacable, un hombre comprometido con las causas perdidas y los desposeídos del mundo, en fin, una verdadera leyenda. El perfecto prototipo de hombre inteligente, comprometido y, de alguna forma, salvaje, que me trastorna la cabeza. Fui a su casa sabiendo cuáles eran mis intenciones. No me lo dije, aunque escogí el atuendo y el estado de ánimo pensando en él. Me volví lo más chilena que me fue posible (dado los años que llevo allá, no es una metamorfosis muy obvia), pero chilena de aquellas que nunca había sido, aquellas que tenían ideales, que durante la dictadura habían luchado contra ella y se reunían en los cafés de Europa para imaginar ese día glorioso en que Pinochet desaparecería. Mujeres de armas tomar, altruistas, y que en esos años había visto en los múltiples eventos que organizaban con el fin de reunir fondos para la resistencia. (Yo en ese entonces entregaba parte importante de mi paga para la causa, pero nunca fui capaz de involucrarme por el temor, lo más probable infundado, a ser rechazada por ellas). Ese día en la casa de Trevor Dunham la tarde pronto se volvió noche, y más pronto aún se volvió alba. Terminé enredada en sus sábanas. Fue un sexo ideológico, exaltado y de olvido inmediato. Salí esa mañana con el rostro irritado por el roce violento de su barba, y el corazón maltrecho por haber traicionado a Jeremy. Esa fue la primera vez que lo engañé. Fue tal el gusto amargo que dejó en mi boca, que durante los siguientes meses me cuidé de no volver a hacerlo.

Los fines de semana yo viajaba a Cambridge o Jeremy a Londres. Tal vez me estaba enamorando, no sé. Lo cierto es que nuestro romance parecía esponjarse con los días, hacerse más luminoso, más intenso, y no dejaba de sorprenderme. Jeremy no reunía en absoluto las condiciones de mis anteriores enamorados, tenía casi mi edad (todos los hombres con los cuales había salido en los últimos cuatro años eran menores que yo), le faltaba imaginación e iniciativa (su carencia que más detestaba) y sin duda le sobraban sesos. Tenía una capacidad de concentración (en sus propias cosas) a prueba de todo, era una pizca demasiado formal y arrogante, era pausado y parecía haber resuelto los grandes dilemas de su existencia. La mayoría de los hombres con los cuales había salido los últimos quince años eran oscuros, insondables y exudaban tormentos existenciales, poetas malditos, pintores y actores, cuya belleza iba a la par con su sufrimiento, rasgos que ante mis ojos los volvían tremendamente atractivos. Jeremy, además, había pasado por el matrimonio (era separado de una connotada política del Partido Laborista), y a pesar de su fracaso, creía con fervor en la familia; a veces, para mi estupor, se detenía ante un niño e iniciaba una charla de apariencia tan casual que parecía ser padre de al menos cuatro hijos. En rigor, y a pesar de las circunstancias un tanto extravagantes en las que se había aproximado a mí en casa de Elinor, Jeremy era lo que se llama un Mr. Wright, un género de hombre demasiado correcto del cual me había pasado la vida huyendo.

Debo admitir que a pesar de todo esto, pasábamos largas horas abrazados, desnudos, en silencio, escuchando los rumores de la calle y del tiempo que cruzaban nuestra alcoba en puntillas para no perturbarnos. Eran momentos de una plenitud extrema. Todo lo que yo anhelaba en esos instantes estaba contenido en las cuatro paredes de mi cuarto o el de Jeremy, en nuestros gestos, en los personajes que yo construía para él, para divertirlo, para confundirlo, para romper su cabeza racional, y en ocasiones, él mismo me lo confesaba, ya no sabía si la mujer con quien hacía el amor era la revolucionaria latinoamericana o la prostituta francesa, la niña o la mujer madura, la vedette o la fotógrafa desgarbada, la intelectual insatisfecha o una mujer común y corriente alegre de estar viva. (Ayudada por mis amigas actrices de vez en cuando lograba un atuendo y una actitud sorprendentes). Pero sobre todo, lo que más me maravillaba era la paz que me producía la cercanía de su cuerpo, lugar donde yo calzaba con tal perfección que por momentos pensé —y por supuesto para restarle importancia, reí de la sola idea—, habíamos nacido el uno para el otro.

Hacia el fin del verano surgió el viaje a Venecia, suceso que cambiaría el curso de nuestra relación.

Me enviaron a Venecia por la historia de un pastelero que había descubierto en el altillo de su casa, un manuscrito perdido de un contemporáneo de Henry James, un tal, Neil Paraday. Habían sido días agitados, porque además de los retratos del pastelero y su familia, para amortizar el viaje nos habían pedido que hiciéramos un par de notas adicionales. Una sobre un botero que habiendo nacido como tal, no sabía nadar y murió ahogado en uno de los canales a menos de un metro de profundidad. Y otra sobre los principales sitios mencionados en la novela *Muerte en Venecia*. Esa tarde no tenía prisa, el periodista con quien hacía el reportaje se encontraría con unos amigos de su gremio y yo había preferido no acompañarlo. Tomaba una cerveza en el balcón de mi diminuta pieza, antes de darme una ducha y echarme a la calle. El calor comenzaba a cejar y los parroquianos ya llegaban a su cita habitual en la plazoleta frente a mi hotel. Un viejo de corbata amarilla y traje de anchas solapas intentaba darle un manotazo a una paloma que había hecho sus necesidades en su sombrero. Con la mirada seguí el curso de la impertinente paloma, que fue a finiquitar sus menesteres frente a un muro. Fue en ese instante que estupefacta vi la primera foto. Era un muro de esos que han quedado a merced de las pandillas y anunciantes, parte de una casona a medias abandonada. Estaba tapizado de restos de afiches callejeros. A pesar de la distancia que me separaba de la imagen, supe en seguida que era él. Jeremy, en una fotografía en blanco y negro de más o menos cincuenta centímetros de largo, vestido tan solo con una camiseta blanca, señalaba con su cabeza inclinada su sexo desnudo. Por la dimensión de la fotografía y el hecho de no estar aún intervenida por otros anuncios, su cuerpo sobresalía por sobre los otros trozos colorinches de papel. Me vestí y salí lo más rápido que pude a la calle. Cuando estuve frente a la foto, advertí que en el centro de su sexo, estaba estampado en un color azul rey el león de Venecia. Consternación es un pálido término para lo que sentí. Es sin duda absurdo, pero una de las interrogantes que primaba en mi cabeza era saber quién le había tomado la foto. A un poco más de un metro de distancia divisé otro cartel. Avancé en esa dirección y, con una flecha dibujada a lápiz en una esquina de la fotografía, aquella me llevó a otra, y esta a otra, y así sucesivamente. De pronto me di cuenta de un detalle que hizo a Jeremy poderoso ante mis ojos: él no tenía ni una partícula de pudor. No encerraba dudas su mente, no le tenía temor al desprecio, ni al ridículo, ni a nada; además, si la idea era suya (lo que él mismo me confirmó después), desplegaba con creces su imaginación e iniciativa. Seguí caminando con pasos cada vez más presurosos entre los turbios laberintos de los canales, buscando su imagen en los muros, en los delicados balcones de mármol, buscándolo a él. Cuando llegué a la plaza San Marcos apenas podía respirar. Quería gritar mi secreto a todos aquellos seres que pasaban frente a la imagen de Jeremy y que lanzaban una mirada curiosa o cargada de lujuria a su sexo perfecto. Hubiera querido decirle a aquel transeúnte con quien tropecé, tan imbuida estaba en mi euforia, que ese hombre allí en la muralla era mío, que era para mí todo lo que contenía su cuerpo. Me senté en una de las mesas de la plaza y pedí un café. La plaza resplandecía. Veía aparecer a Jeremy a cada instante entre las palomas batiendo sus alas y las decenas de rostros foráneos. De pronto eran sus piernas enfundadas en un par de jeans negros que sobresalían del gentío y avanzaban decididas hacia mí, luego su polera blanca, la de la foto, recortando su espalda, su cabeza de cabello muy corto color madera, o simplemente su mano alzada entre las otras, una mano blanca y huesuda como la de Jeremy. ¿Dónde estaba él? ¿Cuánto tiempo llevaba concibiendo ese plan? ¿Cómo pospuso sus clases en la facultad? ¿Estaba en Venecia o alguien había hecho todo esto por él? Todas esas preguntas revoloteaban en mi cabeza como pájaros danzantes, provocando sonrisas solitarias que hubiera querido hacer estallar en risas.

Me quedé en la plaza. Estaba segura de que lo vería aparecer en cualquier esquina. Deslizaba la mirada de un rincón a otro, de un rostro a otro, hasta que poco a poco las luces se fueron apagando y solo quedaron los más borrachos, que desde otras mesas clamoreaban palabrotas cuyo significado yo solo podía intuir. Volví a mi hotel avanzada la noche. Tenía la certeza de que el juego de Jeremy no había acabado. Pasé el resto de la noche en vela, cada risa desde la calle, cada chirrido de puertas, cada andar apresurado de pies en el pasillo me sobresaltaba. «Es él», me decía. Entonces tendida sobre la cama con los ojos cerrados, desplegaba mi cuerpo en una forma que sabía voluptuosa, apoyaba un brazo sobre la almohada, mi cabeza sobre mi mano y sujetaba las sábanas con la otra a la altura de mis pechos. Pero pronto los pasos continuaban su curso, se cerraba una puerta y la risa se extraviaba entre los árboles de la plazuela. Amanecía cuando logré quedarme dormida.

Poco después sentí abrirse la puerta de mi pieza. En la luz delicada e intensa de la mañana, Jeremy se veía más alto, más flexible. Se sentó en una silla que daba al balcón. El sol rozaba tangente los árboles de la plaza. Mientras enrollaba un cigarro, sonreía sin decir palabra, mirándome con esos ojos que a pesar de su transparencia sajona, eran espesos. Yo estaba a punto de decirle que bastaba ya de juegos, pero su mirada era dulce, no había dobles sentidos en ella. Cuando le pregunté por qué me había hecho esperar toda la noche, él respondió: «Para que sepas lo que se siente cuando se echa de menos». (Echar de menos es insuficiente, *to yearn* fue el término que él empleó). Y tenía razón, no recuerdo haber ansiado a nadie como ansié a Jeremy esa noche.

Antes de salir a tomar desayuno, Jeremy me dio el anillo con el león de Venecia y me anunció que se mudaba a Londres, que se había

tomado un año sabático. Quería estar cerca mío
todo el tiempo, no soportaba la distancia, no des-
pertarse a mi lado, no alegrarse con mi risa y mis
bromas que intentaban ser inglesas, pero resulta-
ban unos esperpentos que él adoraba.

Los canales, bajo la luz aún tenaz del fin
del verano, tenían esa mañana tonos azulados y
profundos que recordaban la magnitud inquietante del mar.

Daniela

Hemos abandonado el puerto y ahora caminamos sin rumbo fijo. Por un boquete entre los caserones divisamos el mar. Llegado un punto, motivada por mi entusiasmo, le digo a Ana que las luces de los barcos parecen estrellas caídas o, más bien, estrellas que reposan en el mar. Después de dichas, mis palabras me parecen ridículas, como salidas de un mal parlamento, pero cuando miro a Ana me doy cuenta de que ella sonríe y que rodeándose con los brazos, dice:

—Tú me haces percibir detalles que yo no veo, y eso que soy yo la fotógrafa.

Nunca nadie me había hablado como lo hacía Ana. Además, sus palabras traspasan lo opaco del mundo con su brillo. Recuerdo de pequeña aquellos grupos de amigas que cruzaban el patio del colegio hablando bajito, lanzando miradas fulminantes para que nadie se les acercara, y si por casualidad yo lograba aproximarme a ellas, un silencio me expulsaba lejos, al confín más oscuro del patio, allá donde no había secretos ni confidencias. Tal vez yo no era confiable, tal vez sospechaban que vivía de mis fantasías —en las cuales era siempre yo la reina y ellas mis esclavas—, tal vez pensaban que no era lo suficientemente inteligente ni madura para acceder al privilegio de las intimidades. No sabría decirlo. Lo que sí sé, es que tan solo me queda revelarle a Ana mi gran secreto. Nunca lo he nombrado en voz alta y a veces incluso intento imaginar que no existe.

Hay un aire húmedo en la calle y hasta nosotras llegan ramalazos del aroma del mar. Sí, cuando entremos a ese bar que Ana señala al otro lado de la acera, se lo diré. Le diré que vomito todos los días, le diré que me como diez chocolates seguidos y que después me meto los dedos en la garganta, le diré todo eso. En el fondo de mi corazón, sé que es la única persona que podrá entenderlo y no juzgarme, y no sentir asco al mirarme después de saber mi secreto.

Cruzamos la calle corriendo, un auto por poco nos alcanza y las dos reímos. Dentro del lugar la noche parece bullir. Se ve mucha gente, que iluminada apenas por la luz de las velas, proyecta un constante movimiento en los muros. Hay olor a humo y a papas fritas. La música mal amplificada es algo melancólica. Avanzamos entre las mesas en busca de un lugar donde sentarnos. Una mujer con apariencia de hippie entrada en años viene hacia nosotras. Su pelo largo y los estridentes colores de su falda parecen ser los últimos cabos que la atan a su juventud. Con un andar lento y aéreo nos guía hasta una mesa a los pies de un improvisado escenario. La mujer tiene una sonrisa que en lugar de curvarse hacia arriba, se curva hacia abajo, como un arco muy tirante a punto de lanzar una amarga flecha, y sus ojos, de pestañas largas y negras, están circundados por un millón de arrugas que bajan por sus mejillas como una catarata. Acaban de subir a la tarima cuatro chicos delgaduchos vestidos de negro. Con sus

guitarras eléctricas colgadas de los hombros parecen insectos. El micrófono está mal ajustado y los
músicos no acaban de dominarlo. De todas formas el público los recibe con silbidos de anima-
ción. Ana pide una cerveza y yo una coca-cola
light. Después de un rato de acomodos, los músicos comienzan a entonar una canción que tiene
alguna similitud con *Escalera al cielo,* de Led
Zeppelin. Ana está encantada. «Es como estar en
un bar inglés en los años setenta», me dice. Abun-
dan los pelos largos y las barbas, las miradas flotantes que vagan sin detenerse en nada. Sentada
en una banqueta, Ana ondula su cuerpo, siguiendo el ritmo de la música que ahora se ha vuelto
más enérgica. Yo también me muevo un poco.

—¿Quieres bailar? —me propone Ana con
el vaso de cerveza en ambas manos y los codos
apoyados sobre la mesa.

—¿Las dos? —le pregunto algo descon-
certada.

—¿Tenemos ganas de bailar no es cierto?
—dice y me ofrece su mano.

Nos levantamos y enfilamos hacia un
rincón donde la música se escucha más fuerte.
Ana echa la cabeza hacia atrás dejando que el pelo le cuelgue por los hombros, mientras empieza a
bailar balanceando la cabeza al ritmo de la música. Al principio me siento incómoda, pero poco a
poco me dejo llevar por su vivacidad. Y al tiempo
que nuestros movimientos se van haciendo amplios, sueltos, exuberantes, veo pasar como nubes
en cámara rápida todos esos pensamientos que me
hacen sentir inadecuada, los veo alejarse y luego
desaparecer en lo alto de un cielo que se esclarece,

que se ensancha, mientras nosotras aquí abajo sobre estas tablas desclavadas, brincamos como saltamontes, oscilamos como odaliscas y nos reímos de todo.

Dos chicos rubios —robusto y plenamente consciente de sus atributos, uno; largo y encorvado como la torre de Babel, el otro— bailan a corta distancia de nosotras. Nos sonríen y hacen señas indecisas para que nos aproximemos a ellos. Ana también sonríe, pero luego los olvida y ambas bailamos mirando en otra dirección, intercambiando entre nosotras miradas repletas de complicidad. Después de un rato, decidido a establecer contacto, el más fornido se aproxima a nosotras:

—Disculpen, nos gustaría bailar con ustedes —dice en un español entrecortado. Tiene una sonrisa cándida que contrasta con su rostro y su cuerpo de luchador, todo mandíbulas y bíceps. Ana al advertir su acento, le pregunta si es de origen inglés y él alzando los hombros como si se tratara de una falta, asiente. Debe ser ese gesto suyo de modestia, pero colmado a la vez de un oculto orgullo, el que inspira a Ana a descender el puente levadizo y dejarlo entrar a nuestra fortaleza. Cuando la banda de músicos se detiene, no sé si por sugerencia de Ana o por iniciativa propia, los dos ingleses cogen los vasos que han dejado en la barra y se sientan con nosotras.

Ana ha extendido las piernas a lo largo de una banqueta adosada a la pared. Toma su vaso de cerveza a sorbos y ríe mostrando sus dientes blancos y parejos. Arroja un aire de buen vivir, como si su vida solo fuera posible en lugares bellos e intensos, villas italianas, piscinas calipso que tocan el

mar bajo un intenso sol griego, castillos medieva-
les circundados por árboles dorados. Es su forma
de moverse con vastedad, su manera de sentarse
confiada, de mirar complacida, de apropiarse y
considerar sublime cada cosa que toca. Junto a
ella no hay otra posibilidad que la de vivir un momento memorable.

Uno de los ingleses explica que estudia en
la Universidad de Sussex, y que está en Valparaíso con el fin de reunir unos datos para su tesis de
posgrado en biología marina. El otro, sanguíneo y
narigudo, habla apenas, parece simplemente
acompañar al biólogo en su aventura sudamerica-
na, pero asiente de tanto en tanto con la mirada
puesta en ningún sitio y una sonrisa del que ya lo
ha visto y escuchado todo. Tiene los ojos luju-
riosos, pero contenidos de esos hombres que se
deleitan mirando una mujer bella, aunque prefie-
ren satisfacerse solos. Ana, creo, también lo ha notado. De pronto los gestos de ella han adquirido
una teatralidad exuberante y están dirigidos ma-
nifiestamente a él. Fuma explotando el humo en
su rostro, aproximándose hasta casi tocarlo con
sus pechos en punta, que ha dejado insinuarse tras
su camisa semiabierta. Su risa es suave, sin es-
truendos, como si compartiera con él algo singular. Habla en voz baja, intercalando sus palabras
con miradas que alterna entre uno y otro. El biólogo, al percibir la curiosidad que su amigo ha
suscitado en Ana, se acerca más a ella y la toma
por la cintura. Ana no dice nada, tampoco la expresión de su rostro cambia con ese avance. Entrecierra los ojos como si divisara algo muy bello a lo
lejos. El escuálido en cambio, sí reacciona ante el

gesto osado de su amigo. Una nueva expresión se apodera de su rostro. Exhala frases cortas en apariencia iluminadas, despliega su inteligencia al igual que un mago que de pronto es llamado de urgencia a ejecutar su gran acto. Sus manos ya no ostentan huesos, sino maniobras, se aventuran a tocar una mano de Ana, a encenderle con presteza otro cigarro. Tengo la sensación de que cada uno de ellos tres, sabe de antemano lo que tiene que hacer y decir, y lo que el otro hará o dirá. Los une, además de una lengua llena de dobleces y sutilezas que se me escapan, un código —europeo supongo, o inglés, no sabría decirlo— que desconozco. Asimismo, tengo la impresión de que a Ana le urgía este encuentro, no solo porque los tiene a cada uno sujeto de un testículo y puede literalmente hacer lo que se le antoje con ambos, sino que también, porque a pesar de haber nacido aquí, al fin y al cabo pertenece a su mundo y es con ellos que la verdadera Ana emerge en toda su magnitud.

La visión de Ana encendiéndolos ha abierto un pequeño agujero en mi estómago, por donde se escapa mi entusiasmo. Prefiero no seguir mirando. Enciendo un cigarro y subo las piernas a la banqueta. Les doy la espalda e intento concentrarme en otra cosa, no completamente para no resultar tan obvia, aunque estoy segura de que mis miramientos son innecesarios, puesto que lo que haga será invisible para ellos. Albergo el secreto deseo de que Ana, percibiendo mi aislamiento, de un golpe de mano espante a los pajarracos que han ocupado mi lugar. Mientras tanto, observo a las hormigas moverse de un lado para otro sin designio fijo. En los escalones frente a la tarima se ha instalado un grupo de chicas con ojos lánguidos, aunque es en la barra donde más se detienen; allí intercambian algún saludo o un carcajeo para dejar en claro que están felices, que no hay sombras en su conciencia ni tristezas en su corazón. Luego, con el combustible en la mano, un vaso largo y rebosante de cerveza, emprenden otra vez la marcha, buscando seguramente un quimérico lugar donde ampararse. Como yo misma ahora. ¡Dios! El agujero crece y la fuga de mi entusiasmo se precipita. No sé cómo detenerla, no me basta la distracción de las hormigas, ni tampoco el intento de asirme a los momentos que he pasado con Ana: el recuerdo de la bañera, sus confidencias, la visión de los barcos-estrellas. De pronto escucho un silbido parecido al de un globo desinflándose de golpe. Me pregunto si nadie más puede oírlo. Miro a Ana como último recurso. Una mirada de ella bastaría, un guiño de ojos, un gesto mínimo que me asegure que aún existo. Pero no. Los ojos de ella están lejos, cubiertos por un velo, como el que he visto en los ojos de Rodrigo cuando alcanza un orgasmo, un manto de desquicio, de placer, de delectación puramente individual, donde nada ni nadie existe. Me levanto de la mesa, hago un gesto cuando ella me mira sin mirarme, rozándose con la lengua la comisura de los labios, exacerbando la atmósfera de exhibición, de pantomima, y yo confundida le digo que voy al baño. Súbitamente me he vuelto yo misma una hormiga errante y me dejo llevar por la ola que conduce a la barra. Nunca debí venir con Ana. Tengo que aliviarme. Tengo que comer. Me siento en un taburete de la barra y procuro respirar. En un intento por aplazar el huracán que me amenaza, pido una coca-cola light y una porción de papas fritas. Una chica de falda corta y medias rayadas se sienta a mi lado. Su cabello, del color del choclo, me recuerda la descripción que hizo Ana de la mujer que acompañaba a Jeremy la noche que lo conoció. Su rostro es pálido, casi enfermo. Tiene un cuerpo menudo y su sonrisa infantil está intervenida por una expresión que bordea el dolor. Hurgo dentro de los bolsillos de mi chaqueta y descubro que además de un papel arrugado, lo único que tengo es un mísero billete de mil pesos. ¡Dios, tengo que tragar! La chica me habla. Consumida por la necesidad de atiborrarme no le presto mucha atención. Tiene una voz ronca, quebrada de vez en cuando por agudos silbidos. La escucho decir que lee el futuro en las manos, lo aprendió de pequeña de una nodriza gitana. Por sacármela de encima y porque es cierto, le digo que no tengo dinero, pero ella insiste. Intenta tomar mi mano, aunque yo, en un impulso que no puedo retener, se la quito con rudeza.

—Ya las vi —me dice.

Sé perfectamente a qué se refiere. Logré interceptar su mirada de asombro al ver las pequeñas heridas en el dorso de mi mano. Todas las mañanas las cubro con una base untuosa de esas que se utilizan en los maquillajes teatrales. Pero a estas horas del día la capa encubridora ha desaparecido.

—Las vi —vuelve a decir y extiende su mano derecha con el dorso vuelto hacia arriba. Allí están, son idénticas a las mías, solo que el rastro de sus dientes sobre su piel abierta es más reciente; es evidente que vomitó hace poco rato, seguramente en el baño de este local. De allí la palidez de su rostro, la estela azulada en el contorno de sus ojos. Quiero imaginar que ella intenta divertirse, solo eso, que no tiene heridas en su mano, yo tampoco las tengo, somos dos niñas jugando al cachipún: tú sacas papel y yo piedra, tú tijera y yo papel, tú tijera y yo piedra; quiero imaginar nunca haberme introducido la mano en el pescuezo y comprimido los dientes para espantar el dolor al vaciarme. Pero una vez más oigo su voz.

—¿Sabes? Estoy recién aprendiendo, tal vez tú podrías enseñarme a hacerlo mejor...

La chica de cabello color de choclo me está pidiendo que la instruya en las artes del espasmo, del vértigo, de la repugnancia. Me levanto lentamente, le doy un beso en la frente —la más instruida bendice al aprendiz— y le digo: «El camino a la perdición se hace sola», palabras que me suenan salidas del teatro. De todas formas ya me he dado cuenta de que en ocasiones la realidad se parece más a la ficción que a sí misma, y en otras, un segundo sobre las tablas es inmensamente más verídico que mil instantes de la vida real. Antes de salir, echo un vistazo hacia donde Ana, acerca su boca al oído del biólogo. Alcanzo a ver sus ojos encendidos que pasan por mi lado sin verme.

Cuando llegó a la calle, solo la urgencia de atiborrarme ocupa mi mente y mi cuerpo. Debo conseguir dinero. De pronto aparece ante mis ojos la visión sublime de Ana guardando su billetera junto a su pasaporte en un cajón de su velador. Detalle prodigioso que me devuelve la fe. Camino cada vez más rápido, y pronto estoy corriendo. Por un segundo me detengo, estoy sudando y el corazón quiere salírseme del pecho. Entre los árboles veo nuevamente la bahía, y lo que un rato atrás me pareció un mar de estrellas reposando, ahora se ha vuelto lo que fue siempre: un hueco negro y helado. Vuelvo a correr. Cuando llego a las puertas de la pensión rosada, respiro apenas. En la acera intento calmarme. Le pido la llave al mismo chico que unas horas antes divisé al salir. Se refiere a mí como la señorita Bulnes y no deja de sonreír. Me siento una ladrona. Soy una ladrona. Con soltura pido las llaves de nuestra pieza, me entretengo incluso unos segundos observando los folletos que tiene sobre el mostrador, luego me despido con una sonrisa relajada, de esas que dicen: tuve-un-día-agotador-y-ahora-me-voy-a-dormir. Camino sin apuro por el pasillo, me vuelvo, sé que él me ha seguido con la mirada, sus ojos son confiados como los de un niño que aún no conoce el espanto.

Me cuesta trabajo abrir la puerta, mis dedos se enredan, no logro encajar la llave en la cerradura, la doy vuelta hacia un lado y hacia el otro, hasta que afortunadamente se abre. Corro al cajón y tomo veinte mil pesos de la billetera de Ana.

Ahora debo pensar dónde conseguir lo que necesito con la mayor rapidez posible. Cierro la puerta con sigilo. Al llegar abajo, el chico no está en su puesto de vigía, estará en el baño, supongo, y apuro la marcha para alcanzar la puerta antes de que él aparezca.

*

Lo he visto unos minutos atrás cuando corría en busca del dinero. Es un flamante McDonald's, recién inaugurado, con todas sus luces blancas prendidas. Vuelvo a correr. Una vez allí, me acerco a la barra y pido mi orden. Hay unas papas fritas caídas de algún cucurucho en la mesa del mostrador. Me las como muy rápido, son cuatro o cinco. Por fortuna el lugar está casi vacío; nunca me he atracado en público. Estoy sudando, pero tengo frío. El tipo que recibió mi pedido me otea con ojos de anfibio depredador. En el espejo glacial de sus ojos leo sus pensamientos, debe pensar que soy una enferma, porque es imposible que alguien se coma dos hamburguesas dobles, tres porciones de papas fritas, un helado de manjar con crema y otro de frutilla con salsa de chocolate. Además, le repito el pedido con ojos desorbitados, me tiemblan las manos y me zampo las sobras del mesón. Saco el papel arrugado de mi bolsillo y finjo leerlo, pues me urge fijar la mirada en alguna parte. En el papel está anotada una frase que me dijo Gabriel hace algunos días en un tono entre jocoso y trágico: «Redención y perdición, te tengo entre las piernas». Me entregan mi bandeja, avanzo hacia el fondo. Al igual que en una sala de interrogatorio, ningún gesto o intención pasa inadvertido bajo esta luz fluorescente que hace doler los ojos. Llevo la vista baja. Pienso en lo que me dijo Gabriel y me pregunto qué lugar de mi cuerpo tiene el poder de redimirme y condenarme a un mismo tiempo.

En pocos minutos he comido todo el contenido de mi bandeja. Es mi boca, eso es, me digo cuando he terminado.

Debo alcanzar a pedir algo más antes de que cierren. Pensé que bastaría, pero es tan grande el huracán, que no logro hacerlo descender por mi esófago. Un murmullo de voces interviene mis oídos. Son muchas y hablan todas juntas, dicen que Ana es al fin y al cabo igual a todos los demás. Dicen que fui una estúpida, una ilusa, una niña inmadura que aún cree en los duendes y en las apariciones divinas. Me dicen una vez más con sus certezas subterráneas que no debo confiar. Jamás. No sé cómo lo hago, pero ahora camino en sentido inverso, hacia el mesón, no me importa que el tipo me observe con una mueca demudada, no me importa que piense que estoy loca. Pido dos helados más, esta vez con salsa de chocolate y crema. Ambos. Me los como en el camino y antes de alcanzar la siguiente esquina ya han desaparecido. Un inmenso sentido de presente se apodera de mí. No existe el pasado con su gravedad, tampoco el futuro y su brutal incertidumbre; solo debo encontrar un lugar para vomitar. Es lo único que importa. Lo único. No puedo vomitar en la pensión, Ana notaría la fetidez. Mi estómago abotagado presiona mi pantalón y tengo que desabotonármelo. Pronto esa pequeña descompresión no es suficiente y necesito bajarme el cierre unos centímetros. Siento que mi cuerpo es muy grande para mi cabeza, quisiera estar tendida, poder huir a mi castillo de luz, pero no encuentro el camino que me conduce hasta allí. Los chillidos de unos jóvenes resuenan en mis oídos, desorbitadas explosiones, quisiera gritarles que se callen. Cierro mi chaqueta de cuero cuando advierto que uno de ellos ha detenido su mirada en mi estómago hinchado y mi pantalón abierto. Miro el suelo y apuro el paso, solo que no sé hacia dónde. Debo encontrar pronto un lugar antes de que esas miles de calorías empiecen a adentrarse en mi cuerpo y se transformen en tocino. Sobre los cerros, las olas de luces se han extinguido dejando hoyos negros. Por todas partes hay viejas desdentadas vestidas de putas, perros escuálidos, montoncitos de mugre arrimados en la acera, hombres borrachos, luces rojas, olor a fritanga... de cuando en cuando, de la profundidad de la noche emerge un automóvil destartalado. Siento venir las arcadas, vuelvo a pensar que la realidad se parece a la ficción. Debo encontrar con urgencia un lugar donde vaciarme. Corro, no sé cuántas cuadras, pero pronto estoy en una esquina oscura. Atrás quedaron las luces y las voces y las mujeres añosas. Saco una cinta elástica del bolsillo de mi pantalón y me amarro el pelo. Introduzco mi mano izquierda en la boca, no los dedos, la mano completa, y comienzo a vomitar. Unos metros más adelante diviso un grupo de hombres. Paro un instante de vomitar, advierto que ya no hay letreros luminosos, y que la ausencia de luz se debe a que estoy fuera de los márgenes de la ciudad. Pero qué importa ahora, cada segundo que pasa me vuelvo más gorda. Debo terminar. Los hombres están apostados en una esquina y se pasan una botella de mano en mano; les doy la espalda y continúo vomitando. Escucho una música, una guitarra delicada, las estrellas en el mar se mueven y me hablan, a la altura de mi estómago o tal vez un poco más arriba, algo estalla, el suelo está frío, estoy boca abajo, una miel espesa humedece mis labios, saco la lengua e intento lamerme, reposo la cabeza en una mullida almohada blanca, la guitarra asciende al cielo y yo voy con ella, un fulgor níveo en las alturas, un dolor en las entrañas, las nubes me acogen, soy una niña pequeña, tan pequeña que nadie me ve, estoy bajo la mesa escondida entre los vuelos de un mantel blanco de encaje, es mi madre quien llora. La Reina Madre está llorando y no sé qué decirle. Alguien habla. Es una voz que desconozco. Viene de muy lejos. Oye, oye, qué te pasó, cabra, qué te pasó; puta que huele mal la huevona, está toda meá y vomitá. El cielo es blanco e inmenso, y hay un planeta que me está aguardando, camino hacia él con calma, no, no camino, floto sin ningún esfuerzo...

Mi planeta, limpio y vasto, inundado de luces celestiales, tiene un tono iridiscente, y yo, yo estoy allí.

Ana

De vuelta en la pensión, Ana descubre que Daniela no está en la pieza. El azul intenso y lustroso del cielo hace pensar que la luz del día espera tras la noche el momento propicio para hacer su aparición. Intenta dilucidar cuándo la vio por última vez. Estaban sentadas en la mesa cuando desapareció. ¿Pero cuándo exactamente? ¿Fue antes o después de que el biólogo intentara darle un beso y ella lo detuviera en seco? ¿Fue antes o después de que él sacara una pipa de hachís para hacer las paces? No recuerda haber compartido con ella el revuelo que se armó, cuando una chica de pelo amarillo y apariencia de ángel maldito se desplomó con un ataque de epilepsia en la pista de baile. Lo que sí recuerda es que cuando los ingleses llegaron a su mesa, sintió que de un brinco se mudaba a otra isla, y entre la pesadez del humo, los chalecos chilotes y la luz indecisa de las velas, brotaron las guirnaldas de Navidad de Regent's Street, la primavera explosiva de Hampstead, las tardes bucólicas en casa de Elinor, los *capuccinos* en el desvencijado Dôme el sábado por la mañana. Tuvo la sensación de que en ese rincón oculto del bar se fundaba con anécdotas, con risas y gestos, un diminuto territorio inglés.

Seguramente, Daniela conoció a alguien y partió a otro boliche nocturno, uno de los tantos que había en el barrio. Al fin y al cabo, cavila Ana con un dejo de culpabilidad, debió ser bastante soporífero para Daniela oírlos hablar durante horas de futilidades inglesas que solo tienen sentido (en ocasiones) para quien es parte de ellas.

*

Bajo el cielo turbio de la mañana se ve el mar. Daniela aún no aparece. El hadabienvivida (como la llamó Daniela) tiene el rostro empolvado y la palidez de un payaso. Ella misma ha traído el diario y la bandeja del desayuno. Ana toma su taza de café entre las sábanas rosadas, que ya no le parecen tan graciosas. La ausencia de Daniela la inquieta.

El diario que ha traído el hada es un diario local, escuálido, y de un diseño distintivamente añejo. En la primera página hay una foto que llama su atención. Es un chico de labios gruesos cuyas cejas se alzan como dos alas abiertas, está vestido a la antigua usanza, se llama Pedro Meneses y ha muerto. Su poeta ha muerto. Aún estaba vivo cuando ellas llegaron allí, cuando buscaban su casa y se detuvieron en esa plaza a preguntar su dirección. Puede verlo sentado en la banqueta, empujando de un lado a otro con sus zapatos lustrados las hojas caídas. Un desplazamiento que en ese instante parecía tan casual y que, sin embargo, era el círculo ineludible que lo llevaba a la muerte. ¿Cuánto rato después habrá muerto? En el diario dice que a pesar de las estrictas recomendaciones de su doctor de permanecer en su casa, ayer salió a caminar. Retornó, según atestigua una vecina que lo vio entrar, alrededor de las ocho, cuando el sol ya se había puesto. Después hubo un grito, más bien un bramido animal, y otra vecina, la más próxima, lo escuchó. Cuando corrió a su departamento, y con otros vecinos lograron abrir a patadas su puerta, el poeta ya había muerto.

Entre una frase y otra, Ana mira hacia la puerta esperando ver aparecer el rostro angelical de Daniela. Luego del desayuno vuelve a dormirse.

Al despertar, la luz que entra por la ventana tiene un brillo afilado. Ana recuerda que el poeta está muerto y que Daniela no ha regresado. Un extraño dolor le atraviesa el pecho. Siente miedo, como si en el revoltijo de sueños y pesadillas el poeta y Daniela se hubieran vuelto parte de lo mismo: un manto de lágrimas negras, cementerios y pájaros. La noción de la muerte, antes periférica y oblicua, repentinamente se ha vuelto real. Se levanta de un brinco, recoge la ropa que ha dejado esparcida por el suelo y se viste con urgencia. Tiene que salir. ¿Pero adónde? ¿Dónde comenzar la búsqueda de Daniela? Por de pronto repara en su morral en un rincón del suelo. Al momento de salir, ella misma le sugirió que no lo llevara, los bolsos atan, recuerda haberle dicho, es como andar con la casa a cuestas. Vuelca su contenido sobre la cama. Un par de anteojos, un bolsito de raso verde limón con una base de maquillaje y un lápiz labial, una traba para el pelo, una caja de plástico con tres tapones para los oídos y su billetera; no hay dinero, pero sí su carnet, los documentos de la moto y tres fotos de esas que se toman en las máquinas. En la primera, Daniela está sola y saca la lengua; en la segunda aparece ella y Rodrigo, él tiene los ojos cerrados y ella le tira una oreja; en la tercera Rodrigo, solo, sigue con los ojos cerrados. Detrás de la foto hay un número de teléfono que por la textura plástica del papel no se marcó bien. Lo único que puede concluir Ana es que Daniela no tiene nada, ni siquiera su identidad. Decide aguardar un rato. Tiene la vista fija en la manilla de la puerta y de tanto en tanto está segura de verla rodar hacia un lado y luego hacia el otro, pero nada sucede, son las tres de la tarde y Daniela no ha llegado. El ulular de una sirena se cuela por la ventana. No puede seguir esperando de brazos cruzados.

Ha visto en las películas una decena de veces la misma secuencia. Alguien con las manos temblorosas y los ojos fuera de órbita llamando a la comisaría, a los hospitales y finalmente a la morgue. Pero esto es real. Mientras busca en las primeras páginas de la guía de teléfono, Ana siente el aguijón de la culpa. Tal vez Daniela desapareció para llamar su atención, esa que ella con la tosquedad más brutal, le quitó cuando se encontraron con los ingleses.

Bomberos, carabineros, posta de urgencia. Los bomberos descartados, a los carabineros siempre los ha detestado. Posta de urgencia.

Una voz de mujer le pregunta si ha llamado a carabineros, a la sección de personas extraviadas. Ana responde que sí. Miente. La mujer suspira con aburrimiento, le pide el nombre completo de Daniela, la edad. No hay ningún paciente registrado bajo ese nombre. Ahora es Ana quien suspira, pero de alivio. Hay un silencio y luego la mujer le pide que espere. Por el teléfono descolgado Ana oye voces, el chirriar de una puerta, un traqueteo de hierro viejo, pasos que se aproximan y luego se alejan. Quiere colgar, la mujer parece haberse olvidado de ella, escucha más pasos, esta vez se acercan, la mujer ahora habla. Es posible que Daniela esté allí, dice. Hay una joven de más o menos la edad que Ana le ha enunciado. La trajeron por la noche, inconsciente y con un tajo en la cabeza. Debe describir lo que llevaba puesto. A Ana se le viene a la mente la inmensa chaqueta de cuero negro de Daniela que deja apenas descubierta la punta de sus dedos. Sí, dice la mujer, la descripción coincide perfectamente. Perfectamente. Cómo puede ser perfecto ese horroroso ensamble, cómo puede ser perfecto que Daniela yazca inconsciente en la posta de urgencia. Quiere gritarle, pero le pregunta con voz queda el lugar exacto dónde se encuentra Daniela. Está en una sala común le dice, junto a otros ocho pacientes que llegaron también a urgencia en la noche. Aunque para cuando ella llegue, es posible que por ser mujer, la hayan trasladado a otra habitación.

*

El hada vieja pide un taxi y la acompaña hasta la puerta. Desde alguna parte una televisión lanza voces fantasmas al corredor. Le dice que abrirá todo el día las ventanas para que el aire del mar con su buenaventura empape su pieza. Ahora le da un beso y dibuja con su pulgar una cruz en su frente. La mujer se ve conmovida y Ana tiene la impresión de que su interés es verdadero, que no es esa empatía con el dolor que tienen algunas personas para sentirse vivas. Con un aleteo de su mano cuajada de anillos, se despide de ella, y se queda allí parada en la calle mucho después de que el taxi ha arrancado. Ana lleva el bolso de Daniela y le suplica al taxista de semblante desganado y cubierto de cicatrices de acné, que vaya rápido.

Los pasillos del hospital ruedan unos sobre otros en forma laberíntica, son angostos, y las camillas apostadas contra las murallas hacen aún más difícil el paso. Hay muchas personas, caminan en silencio arrastrando los pies, las cabezas gachas, las manos colmadas de bolsas plásticas. Ana se pregunta qué llevaran dentro. Una voluntaria de la Cruz Roja (así se presentó), de nariz de gancho y edad indefinible, la guía. De tanto en tanto, la mujer vuelve a medias la cabeza para confirmar que aún está allí. Ana solo alcanza a divisar su perfil de pájaro. Se detiene frente a una puerta con una ventana circular igual a todas las otras y se despide de Ana.

Cuando Ana ve el rostro de Daniela vuelto hacia la ventana, sin mirada, sin color, sin vida, no puede respirar. No sabe si es el cuerpo ausente de Daniela y la venda blanca que cubre su cabeza, o las sábanas grises y ajadas de la cama, o la pesadez del aire y la ventana que termina en un muro también grisáceo, que le oprimen la garganta. Las lágrimas se agolpan en sus ojos.

—¡Dios mío, qué he hecho! —un sollozo le ahoga la voz. Está a punto de caer, aunque lo evita asiéndose al respaldo de una silla. Daniela tiene los ojos abiertos, pero no ha vuelto la cabeza hacia ella. La luz de un tubo fluorescente acentúa la palidez de su rostro. Súbitamente, Daniela está hablando. Su voz es tan débil que una vez iniciada parece extinguirse, como si privadas de impulso, las palabras cayeran al suelo.

—No llames a nadie, por favor. No quiero que el papá y la mamá sepan, tampoco Rodrigo —su hablar es apenas audible, pero, tras la fatiga de su voz, Ana cree escuchar un tenue velo de reproche.

El silencio otra vez.

—Daniela... —suspira Ana.

Pero Daniela ha cerrado los ojos. Ana se deja caer en la silla. Debe hablar con un doctor, alguien tiene que decirle qué le sucede. Se levanta, pero Daniela la detiene.

—No te vayas —dice y vuelve a cerrar los ojos.

Sus palabras como un lazo la han neutralizado.

—¿Qué pasó? —pregunta apocada.

Daniela guarda silencio.

—No quieres hablar, ¿eh?

Ana se queda sentada en su silla sin despegar la vista de Daniela. Intenta dilucidar qué le ha ocurrido, por qué está allí inerte, con los ojos cerrados, la cabeza vendada y el brazo atiborrado de tubos. La pajarraca de la Cruz Roja no supo decirle nada.

Seguramente ha permanecido al lado de Daniela muchas horas porque hace rato que el ruido del pasillo ha cesado y el gris de la ventana se ha vuelto negro. Le da un beso en la mejilla y ve aparecer una descolorida sonrisa en su rostro dormido. Se levanta y asoma la cabeza por la puerta. El pasillo está frío y desierto. A intervalos regulares hay mangueras enrolladas en las paredes y debajo de ellas unos cubos de metal. En el fondo del largo pasillo mal iluminado ve aparecer una silueta que avanza con pasos rápidos y sonoros. A medida que se acerca, distingue a una enfermera encorvada y enjuta. Cuando la mujer, ocupada en una conversación solitaria, cruza su puerta sin mirarla, Ana la detiene. Quiere saber de Daniela. La mujer lee en unos papeles que lleva en las manos.

—Ah sí, la niña que vomita, de esas hay como cuatro. ¿Quién las entiende? Habiendo tanta gente que no tiene qué comer. Todas salen caminando, no se preocupe.

—Y la cabeza, ¿qué le pasó en la cabeza?

—Debe habérsela golpeado cuando se desmayó.

—Y el doctor, ¿a qué hora viene?

—¿El doctor? —suspira la mujer con una sonrisa llena de ironía y de abatimiento—. Él viene cada dos días, hoy pasó por aquí, así que mañana no viene.

Daniela es bulímica. Es eso lo que la mujer a su manera le ha dicho. Si hay algo que ahora Ana tiene claro es que debe sacar a Daniela cuanto antes de allí. ¿Pero adónde puede llevarla? Entra nuevamente a la pieza, Daniela duerme, su respiración no es tranquila, varía de posición a cada instante, y dice cosas incomprensibles. Ana intenta ordenarse la cabeza. Siente temor. Daniela le ha prohibido hablar con Joaquín y Cata. Está atrapada. Es horrible, pero este último es el sentimiento que prevalece por sobre todos los demás. Daniela, indefensa como una niña, silenciosa como un muerto, la ha atrapado. Todo se ha detenido en ese instante. No tiene más alternativa que aguardar hasta el día siguiente. Aguardar que Daniela despierte y, mientras tanto, tomar su mano fría para intentar transmitirle algo de calor. Acurrucada en su silla en la semioscuridad de la pieza, Ana contiene el aliento a causa de la tensión que siente. Se levanta sin hacer ruido y da unas cuantas vueltas por el reducido espacio entre la cama y el muro. Comprende de pronto que debe llamar a Joaquín. Cata y él tienen que enterarse del estado de su hija, ellos conocen este país, sabrán qué hacer, dónde llevarla, sabrán cómo manejar la situación. Sale al pasillo y cierra la puerta con suavidad para no interrumpir el sueño accidentado de Daniela. Camina decidida a encontrar un teléfono y llamarlos. Baja por las escaleras de cemento hasta el siguiente piso. En un rincón encuentra un teléfono adosado a la pared. Revuelve el contenido de su bolsa en busca de monedas, pero no encuentra ninguna. Mira hacia un lado y otro del pasillo y no ve a nadie. Un silencio largo y gris es interrumpido por el chirriar metálico de ruedas y el golpeteo seco de una máquina de escribir a la distancia. Tendrá que bajar otro piso. Teme que si tarda mucho, Daniela despierte y al no encontrarla, sospeche lo que está haciendo. Baja las escaleras corriendo. En el camino se cruza con un par de jóvenes vestidos con guardapolvos y babuchas verdes. Les pide que por favor le cambien un billete por monedas. Los chicos tantean sus bolsillos indicando que no portan dinero. Un par de lágrimas escurren por las mejillas de Ana. Vuelve el rostro e intenta continuar. Uno de los jóvenes, macizo y cargado de hombros, la toma de un brazo.

—¿Qué le pasa? —le pregunta con sencillez.

—Está todo mal, todo muy mal —balbucea Ana, limpiándose la nariz con la manga de su chaqueta—. Si al menos tuviera cien pesos —dice.

—Pero eso no es tan difícil de solucionar. Sergio, ¿por qué no bajas y sacas de tu *locker* un par de monedas? Yo me quedo con... ¿cuál es su nombre?

—Ana.

Con una modesta sonrisa y sin mirar a Ana, el otro joven emprende la marcha hacia abajo. Después de presentarse como Roberto, se sienta en uno de los peldaños de la escalera e invita a Ana a hacer lo mismo.

—¿Por qué está todo tan mal? —pregunta con una cierta inocencia pueril.

Ana no dice nada, tiene ganas de llorar, sabe que si habla ya no podrá contenerse. El joven parece entender y le señala un punto hacia lo alto. Unos ocho metros hacia arriba, en el techo, hay una lucarna por donde se ve el cielo encendido por la luna. Debe estar en alguna parte la luna, se dice Ana. No allí en todo caso. Ana le dirige una mirada de agradecimiento. En unos pocos minutos el joven de mirada esquiva está de vuelta y le entrega cuatro monedas de cien pesos.

—Con éstas estaré bien —agradece Ana.

Vuelve a subir el tramo de escalera al piso donde encontró el teléfono. Mira el reloj. Ya han transcurrido veinte minutos desde que dejó a Daniela. Saca una libreta de su cartera. Sabe que en alguna parte anotó el teléfono de Joaquín. Se sienta en el suelo para apoyar la agenda en sus rodillas; su agenda es un verdadero caos, números y reseñas de todas partes del mundo, sin más lógica que la del azar. Mientras recorre las páginas llenas de anotaciones, súbitamente siente frío. Lo ha hallado. Frente a sus ojos está el número de Joaquín, basta tomar el teléfono, introducir las monedas, escuchar la voz calma de Joaquín y todo se habrá resuelto, toda esa sensación de pesadumbre, de responsabilidad, todo puede acabar en un segundo. Sin embargo, sabe que Daniela solo le pidió una cosa. Con una mirada a la vez implorante y definitiva le pidió que no dijera a nadie lo ocurrido. El frío que siente parece nacer desde sus huesos, expandirse en su carne, en sus órganos, en su piel. Cierra la libreta y se lanza escaleras arriba. Daniela duerme, su respiración es pausada. Se acuesta a su lado y la abraza. Pronto, vencida por el cansancio, se duerme enlazada al cuerpo por momentos febril de Daniela.

*

Es un día invernal. El sol brilla solo un instante antes de empezar a palidecer; como Daniela, que por ratos se despierta a medias, se despereza, pero pronto vuelve a dormirse. Su cabello desordenado y sus labios tajados por la fiebre la hacen parecer mucho mayor de lo que es.

—Veo que no llamaste a nadie.

—¿Cómo sabes? —pregunta Ana, bostezando.

—Porque ya estarían aquí hace rato. Gracias —sonríe Daniela, pero su sonrisa no es feliz, ni siquiera tranquila, es solo la sombra lejana de una verdadera expresión. Sus brazos blancos y delgados están inertes sobre las sábanas plomizas. Sus dedos son largos y delgados como los de Ana. Ana se levanta, extiende el cuerpo desperezándose, se ordena la ropa, se pasa los dedos por el pelo y se aclara la garganta.

—No sé en qué momento me quedé dormida —dice refregándose los ojos.

Pronto Daniela cierra los suyos, se diría que el esfuerzo de esa pequeña charla ha consumido la escasa energía acumulada durante la noche.

Ana asoma la cabeza por la puerta. El pulular del día anterior se ha reanudado. Varias mujeres, niños y viejos caminan por el pasillo con sus bolsas de plástico, otros esperan apoyados en las murallas o sentados en banquetas de madera, hablando en voz baja. No se ve a nadie de delantal blanco. La decisión que tomó la noche anterior la estremece. Deberá batírselas sola, velar por Daniela en ese mundo que le es extraño, que no entiende, que es tan precario que parece no existir. Siente de pronto unas irresistibles ganas de tomar aire. Se ahoga. Le dice a Daniela que va al baño, cierra la puerta con cuidado y sale.

En la calle, las mujeres colocan sus tenderetes, preparándose para las primeras visitas de la mañana. Una mujer gorda de delantal rojo dispone ramos de flores en jarros de plástico, a su lado una joven ordena crucifijos dorados y figuras de santos sobre una mesa desplegable. En las escalinatas por donde Ana desciende, un viejo ofrece a voz en cuello sus sopaipillas que lleva cubiertas por un paño blanco en una canasta. Ana compra unas cuantas y se sienta a unos pocos metros del viejo a comérselas. Respira hondo. El olor del mar alcanza las escalinatas pardas y manchadas del hospital. La esquiva luz del sol apenas la templa. Aun cuando sabe que ningún gesto va a protegerla del frío que tiene pegado adentro, con una mano comprime su chaqueta contra su cuerpo. Un par de hombres trasladan un inmenso espejo abriéndose paso a gritos entre los vendedores ambulantes. Podría no haberla visto, pero en el instante preciso que los hombres cruzan su campo visual, Ana ve la ligera y huidiza profundidad del cielo reflejada en el espejo. Un anhelo de fuga le golpea la boca del estómago. Es mejor devorar rápido la última sopaipilla y entrar nuevamente en el edificio antes de no poder contener las ganas que tiene de huir.

El mar a lo lejos ha tomado un tono gris sólido y hermético.

Cata

Con todas las cosas que me pasaron esta semana alguien podría escribir un libro. Usted escribe, ¿verdad? Pero no se le vaya a ocurrir siquiera...

Está bien. Todo empezó con una llamada de Tere para contarme que ella y unas cuantas amigas más vieron a Joaquín y a Ana besándose en el Sheraton. Es horroroso, ¿verdad? No solo eso, además, cuando se acercaban a saludar a Joaquín, lo escucharon hablar de un excitante diario, parece que es un diario escrito por Ana y que ahora está en manos de él. En realidad no sé cómo alcanzaron a escuchar todo eso; además, lo que le cuento es un resumen, porque Tere tardó horas en contármelo. Saboreaba cada palabra como una hiena. Le juro que lo único que yo quería era colgarle y dejarla hablando sola. La hubiera oído, con esa voz como de lástima, que combina con un dejo de irritación, la fórmula perfecta para hacer creíble su sentimiento solidario hacia mí. ¿Por qué no le corté? Porque hubiera significado el fin de nuestra amistad, y cortar relaciones con Tere es simplemente caer en desgracia. Le juro que no estoy exagerando.

Claro que tenía rabia, todavía la tengo, pero no sé si es por el asunto ese del beso, o es por Tere y su discursillo de la buena amiga.

Toda la situación era tan grotesca, ¿me entiende? El marido besándose con otra, la amiga que los descubre, la llamada acusadora y ¿después qué? Según el guión debería seguir el escándalo de celos, una batalla llena de fantasmas que se suman campantes a la pelea sin que nadie los llame, portazos y lloriqueos, míos por supuesto, para seguir con una reconciliación que no es tal, que es apenas una pantomima cuyos decorados son nada menos que todas esas cosas horribles que nos habremos dicho. Dígame, ¿para qué? ¿Para qué iniciar una escena de la cual yo podía predecir cada paso y cuyo desenlace era en cualquier caso, peor?

Sí, claro, todas esas cosas pensé después de colgar con Tere. Usted sabe, es mi naturaleza, tenía que analizar la situación antes de empezar a hacer idioteces, como por ejemplo llamar histérica a Joaquín a su consulta y pedirle explicaciones. Pero, ¿sabe?, donde caí fue con el diario. Me dije varias veces que no iba a comenzar una degradante pesquisa entre los calzoncillos de Joaquín. Eso por ningún motivo.

¿Qué hice? Bueno, primero me arreglé para una gala que teníamos esa noche en el Teatro Municipal. Una ópera de beneficencia organizada por una amiga nuestra y, bueno, después de arreglarme me quedé un rato mirando mi jardín por la ventana. La verdad es que no miraba nada, solo intentaba no pensar, no moverme, no hacer nada que después pudiera lamentar. Pero a pesar de mis esfuerzos, no podía sacarme de la cabeza el hecho de que el «excitante» diario de Ana estaba allí en algún lugar de mi casa. Entré en nuestro *walking closet* y abrí los cajones, los pulcrísimos cajones de

Joaquín, y me puse a buscar entre las camisas, entre sus pilas de suéteres ingleses, entre sus calzoncillos y sus calcetines de hilo, y luego, sin pensar, me fui a su escritorio y abrí cada uno de sus cajones. Nunca antes había hecho algo así. Y ¿quiere que le diga algo? Por un instante a través de esa espectadora de la cual tanto hemos hablado, esa que regula mis actos, me vi a mí misma y sentí asco. Sentí repugnancia por esa mujer delirante e inestable que se movía como una desesperada. A pesar de eso seguí buscando hasta que lo encontré. No fue difícil, no estaba escondido debajo de ninguna Biblia, ni guardado bajo llave: estaba simplemente en el fondo de un cajón polvoriento...

Es extraño lo que ocurre en esas circunstancias. En un momento dado, escuché el reloj del pasillo, eran las ocho, y me di cuenta de que Joaquín estaba atrasado. Me pregunté si habría olvidado nuestro compromiso, aunque yo misma se lo había mencionado esa mañana. Pensé cosas horribles, usted sabe, la mente sigue su propia ruta en esas circunstancias, no tiene ningún miramiento con la dignidad de quien piensa. ¿Sabe lo que pensé mientras tenía el cuaderno en mi mano? Pensé que Joaquín y Ana estaban juntos. No sabía cuántos días estaría Ana de viaje y era perfectamente posible que ya hubiera vuelto.

Y le juro que no sé cómo, me encontré de pronto buscando en la guía de teléfonos el número del hotel de Ana. Si no estaba en su hotel, entonces estaba con Joaquín; una ecuación bastante vulgar, pero que en ese instante era mucho más real, por el vértigo que me producía, que mi sentido común. Mientras esperaba que me comunicaran con la pieza de Ana abrí el cuaderno. La primera frase se clavó en mi cerebro como una estaca: «...me metí entre sus piernas y le mordí con suavidad las huevas. Él gritó. Era un grito feliz». ¿Qué fuerte no? Seguí pasando una página tras otra sin leer realmente, pero las frases me asaltaban, se pegaban a mis ojos sin poder yo evitarlo. No, no me estoy justificando, ni tampoco estoy intentando parecer una mojigata, pero qué quiere que le haga, eso era lo que me pasaba. Tengo que admitir que la letra redondeada de niña hacía el contenido aún más obsceno. Cerré el cuaderno y prendí un cigarro, allí en la pieza, ¿se da cuenta?

Ana no estaba en su hotel. Me sentí mal, muy mal. Como un estropajo. Sucia, vacía. Trataba de aliviarme cerrando los ojos, pero era inútil. Me tapé la cara con las manos y no me di cuenta de que los niños habían venido a darme un beso de buenas noches. Francisco como siempre intentó quedarse un rato en mi cama. Se escondió bajo las sábanas diciendo que era un conejo huérfano. De pronto asomó su cabecita y me miró con sus ojos de miel. Yo casi me morí, le juro. Su juego de orfandad me dio una pena inmensa, porque era yo la que me sentía como una huérfana en ese momento. «La mamá está triste», dijo y volvió a esconderse. Metí mi cabeza bajo las sábanas para atraparlo. Me importaba un comino mi maquillaje y mi peinado de peluquería, solo quería tomar a mi conejito y decirle que no era huérfano, que yo lo amaba más que a nada en el mundo, más que a la luna y el sol. Él estaba quieto al fondo de la cama. Sus ojos brillaban. Tomé sus pies, lo atraje hacia mí y cuando estaba muy cerca lo abracé.

En su pijama de invierno Francisco era un peluche, un gran peluche vivo y cálido que me estrechaba con sus brazos de niño. «Te quiero, conejito, te quiero mucho, mucho», le dije sin soltarlo. «Yo te quiero más que el universo entero y todos los planetas», me dijo al oído con un suspiro, y apoyó su cabeza en mi hombro. Y así, mientras yo lo mecía, Francisco se quedó dormido. El calor húmedo de su cuerpo, su respiración tranquila, su certeza, la de Francisco, que yo estaba allí en la orilla velando su sueño y su vida, me calmaron. ¿Sabe? De pronto solo eso me importaba. Joaquín, Ana y Tere con sus estúpidas insidias, habían desaparecido... Dejé a Francisco en su cama y apagué la luz. Caminaba en puntillas hacia mi pieza cuando oí la puerta de entrada. Era Joaquín. Apuradísima puse el diario de Ana en su lugar y me encerré en el baño. Usted sabe, necesito mirarme en el espejo, sobre todo en esas circunstancias en que puedo perder el control de la situación.

¿Por qué quiere que le explique esto con más detalle si ni yo misma lo entiendo? Bueno, es lo que hago siempre. Incluso en algunas reuniones sociales hay instantes en que simplemente tengo que mirarme. Me basta el reflejo de una ventana. Es ese atisbo de mí misma el que me devuelve el centro, el control, no sé, es como si al mirarme me dijera, existes, estás aquí, te ves bien y no tienes nada que temer. Y en el caso de encontrar algún desperfecto, me da la oportunidad de arreglarlo, como en ese momento, que con un par de pinceladas volví mi maquillaje a su lugar.

¿Hablo de mí como si fuera un objeto? Es posible. Pero aún no he terminado de contarle.

Está bien, está bien. Detengámonos en esto. Puede que usted tenga razón.

Es cierto que mi apariencia física ha sido siempre algo importante para mí; bueno, más que importante, esencial. No me queda otra que arreglarme, porque la verdad es que soy un atado de defectos. Esa es la pura y santa verdad. Sé que si yo no hiciera todo lo que hago por mi apariencia, me vería tal cual soy.

¿Qué soy? Bueno una mujer común y corriente, un poco obesa y por cierto, no muy atractiva. Está claro que lo que muestro de mí misma no soy yo. Pero qué me importa, funciona, y le juro que es delicioso y estimulante ver en los ojos de las otras mujeres esa turbiedad propia de la admiración cuando está combinada con un dejo de envidia. Eso usted no lo puede saber, claro, porque es hombre y porque estoy segura de que estas cosas le parecen ridículas.

Para mí es muy simple, la admiración de los demás es la que me da un lugar en el mundo. Una noción de mi existencia. ¿Recuerda esa frase que dice: «Pienso luego existo»? Para mí, aunque suene terrible, actúa de otra manera: «Soy admirada, envidiada, respetada y luego existo».

Usted cree que me pone en una posición de vulnerabilidad.

¿Por qué se empecina en desarmar mis mecanismos de defensa? Funcionan, le juro, funcionan a las mil maravillas y no tienen ninguna relación con la angustia del último tiempo; al contrario, son los que me mantienen parada en mis dos pies y evitan que me desbarranque en el abismo del sinsentido. Esa expresión suya ya la conozco. Usted cree que estoy atrapada en mi propio juego.

Le voy a decir algo. Mi preocupación obsesiva por mi apariencia, además de delatar mi profundo autodesprecio, no me permite ni pensar ni sentir en forma sincera, porque siempre estoy en escena, siempre pensando en el efecto que tendrán mis actos, mis gestos y mis palabras en los demás. No, no he terminado. Además de atraparme, mi afán por el éxito y la admiración es un saco sin fondo, no es ni será nunca suficiente, porque una vez logrado pierde todo su esplendor, su sentido, y visto frente a frente se vuelve tan vano y efímero como un pedazo de chocolate derritiéndose en la boca... Usted se ríe. Sé que estoy hablando a su manera. Lo hago a propósito. ¿No se da cuenta? Y ahora usted diría que en lugar de toda esta parafernalia, lo que necesito es una auténtica sensación de amor propio. Suena precioso. Suena sublime y sobre todo tan fácil. Pero, ¿sabe?, mientras no la tengo, mis precarios y vanidosos afanes me son muy útiles.

¿Ya es la hora? No puedo creerlo. Y no le alcancé a contar todo lo que pasó después. Usted es quien me dice que debo ser exhaustiva, que no debo guardarme ningún detalle en el bolsillo. No puede negarme que por lo menos lo hice bien. ¿No es cierto? Aunque eso signifique que voy a pasarme la semana atragantada.

Ana

Todo ocurrió de forma vertiginosa. Encontró a Daniela con los ojos abiertos, fijos en una cucaracha que se internaba en una grieta del muro. La súbita consistencia de ese páramo, como una mano enorme, empujó a Ana hacia atrás. Salió de la pieza y no se detuvo hasta sacar a Daniela de ese lugar. Fue la misma enfermera de perfil de pájaro que la llevó hasta Daniela el primer día, quien le recomendó una clínica. «Allí sabrán qué hacer con ella», le dijo con ciertos vislumbres de compasión.

A media tarde ya estaban frente a un doctor joven, quien le explicaba que Daniela era bulímica y que su esófago, destruido por los ácidos de las vomitonas, había sucumbido. Por ahora tendría que quedarse allí hasta que las heridas internas cauterizaran. Podrían ser unos días o quizás semanas, eso dependía de la conformación física de Daniela, de su reacción al tratamiento, y también de su estado de ánimo. Daniela escuchó con aire ausente la minuciosa explicación del doctor. Salir de ese estado era una cosa, superar la bulimia era otra. Mientras estuviera allí curándose de su daño físico recibiría la ayuda de una terapeuta, pero después tendría que someterse a un tratamiento sicológico largo e intenso, concluyó el doctor.

Ana ha dejado a Daniela durmiendo y ahora camina hacia el puerto. Quiere mirar los barcos de nombres extranjeros y banderas con mensajes indescifrables. Desde niña le gustaron los barcos. Sobre todo los que aparecían dibujados en los viejos libros del abuelo, navegando sobre océanos celestes, y que poco a poco fueron despertando sus ansias de viajar, hasta convertirse en una obsesión, hasta volverse una vagabunda a sueldo, capaz de dejarlo todo atrás con tal de aventurarse en la tierra de las casualidades.

Daniela se quedó dormida aferrada a su mano. Volvería a la pensión, se daría un baño y luego retornaría a velar su sueño. Eso le dijo al despedirse de ella, sabiendo que lejos en su inconciencia, Daniela no la oía.

Puesta a pensar, lo más probable es que el impulso de huir que sintió esa mañana retorne con toda su fuerza atávica. Por eso prefiere caminar, observar al vendedor de fruta callejero de manos gordas y boina en la cabeza, o a ese viejo de rostro libidinoso que hace negociaciones con una niña, no mayor que ella cuando miraba los libros de barcos; o ese par de viejas que caminan del brazo con el rostro cubierto por velos y cuyos ocultos carcajeos desdentados se van quedando en el aire como trozos de serpentinas.

Sí, es mejor moverse y respirar el aire marino. Internarse por las callejuelas angostas y concurridas que se interrumpen al pie de una escalera o al doblar una esquina. Tras un rato, tiene la impresión de haber caminado mucho y no haber llegado a ningún sitio, como el efecto que produce pedalear en una bicicleta estática hasta extenuarse. Ha sido, cree, el día más largo de su vida. Ha pedaleado hasta el límite de sus fuerzas, y al detenerse, ha encontrado un gran bulto en sus espaldas. Daniela.

Cuántas veces, rozando el dolor, logró huir antes de ser herida, de ser atrapada en las responsabilidades y penurias que implica un compromiso. Recuerda la mano de Daniela aferrada a la suya y se estremece. Esta vez no lo logró. No hay un milímetro de sí misma que le pertenezca. Al diablo se fueron las fotos pendientes, las fechas de entrega, los compromisos que adquirió con otras revistas antes de partir, porque no sabe, y no puede saberlo (ya que no depende de ella), cuánto tiempo Daniela la tendrá secuestrada en ese puerto, responsable exclusiva de su vida. Como una estúpida ha caído en una trampa. Debió haber intuido que esa niña que parecía flotar en una nube y la miraba con ojos embelesados, estaba enferma. Sus antenas no funcionaron, tan necesitada estaba ella misma de reconocimiento, de alabanzas. Su madre diría que ha pecado de vanidad y que debe pagar su culpa, permaneciendo allí al cuidado de Daniela. La sola idea de estar haciendo lo que su madre esperaría de ella, lo que el mundo esperaría de ella, le produce un irrefrenable afán de rebeldía. Y lo peor, es que el doctor apoyó la resolución de Daniela de no informar a sus padres. «Es su decisión y hay que respetarla», dijo él simplemente. El camino de su sanación, insistió, pasaba por eso, porque ella misma y los demás la respetaran.

Un grupo de niños, cada uno de ellos portador de un banderín escolar, la adelanta, saltan de un lado a otro de la vereda, primero con un pie y luego con el otro, entonando a voz en cuello una canción que suena como un himno, pero que habla de un amor maltrecho. Una mujer de un segundo piso profiere un grito para callarlos.

Sin advertirlo, Ana ha alcanzado el caserón rosado con su letrero de neón, sus rosas perseverantes y sus querubines apuntándola con sus flechas. Es el hadabienvivida quien abre la puerta. En la oscuridad del salón desierto, Ana divisa el televisor encendido que brilla como una pecera. Tan lamentable debe ser su apariencia que la mujer la toma de un brazo y la lleva a su pieza, y tal como le prometió el día anterior, aunque parece un siglo desde ese entonces, las ventanas están abiertas de par en par y una suave brisa llena la habitación con olor a manteca y a mar. La mujer se adelanta a cerrarla. La luz es cálida, también el ruido del agua que ha echado a correr el hada, y el aroma a sales plásticas que derrama en la bañera.

Luego, sin prisa, el hada desata su sonrisa y sus preguntas, como quien vierte una poción curadora: «¿Qué es de la niña? Tan linda, qué bueno que la haya sacado de ese hospital, pero usted se ve muy cansada, aquí se puede quedar todo el tiempo que guste, le mandaré un caldito de pollo que cura las penas y los nervios».

En el mismo instante en que el hada cierra la puerta y la deja sentada sobre la cama con los pies hinchados de tanto caminar, Ana se estremece. Su atención está fija en algo extraño que ocurre en su interior. Un aislamiento absoluto la invade, la envuelve, la ahoga. Se ve a sí misma hecha un ovillo en el fondo de un agujero profundo, sin saber cómo ni por qué llegó allí. Nadie sabe que está sola en ese hoyo oscuro. Y nadie la echa de menos. Arriba la vida continúa su curso imperturbable. Por un pequeño orificio, lo ve todo en cámara lenta: Jeremy llegando por la tarde a su departamento de la mano de la altísima y tartamuda *professor* de Cambridge, la Señora Palmer, su gata, durmiendo en la poltrona con la televisión encendida, su madre en alguna liquidación parloteando con su voz de contralto, su padre, en el pub de su barrio frente a un gran vaso de whisky, ajustándose los anteojos para enfocar con mayor precisión a una bella mujer.

Ha intentado como un deporte entender la soledad otras veces, no por nada se considera una solitaria sociable. Pero nunca se había sentido sola, o al menos eso cree. Mal que mal, su carácter calza con los tiempos, con la imagen de mujer independiente, sensible, sin ataduras ni excesivos prejuicios. No se sentía sola en ese tren, iba acompañada de sus análogos, y del séquito de incondicionales que sucumbían ante el encanto de su libertad. No, nunca se había sentido sola, hasta este instante, al recordar el desamparo de Daniela en su cama de hospital, y el suyo al verla.

Debe apresurarse. Daniela tiene que hallarla cuando asome su cabeza del agujero. Corta el agua que el hada ha dejado corriendo y abandona su cuarto. En el pasillo se encuentra con el joven mozo que va rumbo a su alcoba con la sopa prometida por el hada.

—Dile a la señora que Daniela está muy sola, dile eso, sé bueno, ¿ya? Ella va a entender.

El joven cabezón y diminuto, montado en

un par de botines con tacos, la mira con sorpresa. Antes de cruzar el pequeño antejardín, Ana le echa una mirada a los ángeles que a su vez la miran con sus ojos de piedra.

Arriba el cielo tiene un tono encendido y se derrama en el mar.

Daniela

Yo quisiera olvidar. Olvidarlo todo, pero tengo una cabeza que se obstina en recordar. Según Paula —la terapeuta que me han asignado—, debo hablar y contarle cómo empezó todo, cómo llegué a esta cama que no conozco, a este agujero oscuro y estrecho donde apenas cabe mi cuerpo. Quisiera sin embargo poder contar otra historia, una historia como la de Dominga, esa mujer que estuvo unos meses en la escuela de teatro y que era abusada por su padre. Fue en una clase de historia del arte que Dominga tuvo un ataque de nervios. Se golpeó la cabeza contra su mesa, y cuando uno de nuestros compañeros intentó detenerla, ella lo atacó con un lápiz, hiriéndolo en la frente. Se la llevaron a una clínica y no volvimos a verla. Era anoréxica y tenía todos los motivos para serlo. Mi historia en cambio se remite a episodios casi inexistentes, imperceptibles rasguños a mi alma que pudieron tener otro destino si yo no hubiera sido quien soy, que pudieron incluso no haber ocurrido, por lo insignificantes, pero ocurrieron, y me marcaron. Es como si alguien hubiera pasado descuidadamente un dedo por la superficie de una flamante torta de chocolate, arruinándola.

¿Cuándo ocurrió? ¿Cuándo exactamente? Puedo escuchar la voz de mi madre: «Eres tan linda, Daniela, la más linda de todas, la más valiente, la más capaz, la que levanta la pierna más alto en las clases de ballet, la que canta con más emoción en el coro de la iglesia». ¿Cuándo entonces? Hay un recuerdo que sobresale sobre los otros. Muchas veces de vuelta del colegio hacíamos con mis amigas el camino más largo para pasar frente al colegio de hombres, que se encontraba a tan solo una cuadra, aunque en dirección opuesta a nuestras casas. Al salir de clases, nos maquillábamos con un toque algo exagerado, para no pasar inadvertidas. Nos colgábamos los bolsones de un hombro, encogiendo el lazo con un nudo para encubrir su aire escolar, y desfilábamos frente a las puertas del Verbo Divino sin jamás mirar a los grupos de chicos que nos observaban desde el otro lado de la calle. Una de esas tardes, un par de chicos cruzó la acera; el más rubio y más alto me miró con expresión burlona, y me dijo a boca de jarro, que tenía «poto de gallina». Poto de gallina, eso me dijo. Un solo chico se nos había acercado en todo ese tiempo y lo había hecho con el afán de reírse de mí. La más linda, la más capaz, no valía nada porque tenía el poto como el de una gallina. Sostuve el llanto, me dolía la garganta, sabía que si no empleaba todas mis fuerzas, algo dentro de mí estallaría. Después de que los chicos desaparecieron de nuestra vista, Melanie, mi mejor amiga, lanzó una carcajada y pellizcando mi cintura, dijo mientras movía los hombros provocativamente: «Es cierto, Dani, te estás poniendo rellenita». Melanie tenía una belleza sin fisuras, como la de las modelos que veíamos en las revistas: el cabello color miel y un par de hoyuelos que hacían a cualquier ser humano rendirse frente a sus pies. Pero por sobre todo, Melanie era flaca, sus huesos bellísimos sobresalían en cada ángulo de su cuerpo. Cuando llegué a casa mi resistencia se rompió. Entre sollozos logré contarle a mi madre lo que había sucedido. Ella se rió un poco, era una risa que intentaba aminorar el daño. Con su voz suave y mesurada me dijo que tener «poto de gallina» significaba ser sexy, que era atractivo para los chicos y por eso habían reparado en mí. Dijo que no me preocupara, que en unos años estaría orgullosa de mi trasero y sería la envidia de todas mis amigas. Yo, por el contrario, no podía sacarme de la cabeza la expresión grotesca del chico, su rostro pecoso, la nariz inexistente, su chasquilla enfermizamente lacia y rubia subrayando sus ojos, que brillaban con perfidia. No podía, y no he podido nunca, olvidar su boca de dientes blancos exhalando un fuego que aún me quema. Pero ahí estaba mamá diciéndome que todo era color de rosa, anulando mi experiencia, acabando con la fuerza de mis pensamientos. ¿Si todo estaba tan bien como ella sostenía, por qué entonces yo solo pensaba en morirme? Había dos posibilidades: yo estaba loca o mi madre era incapaz de ver que tenía una hija regordeta de quien los chicos se burlaban. Decidí que la segunda opción era la correcta. Esa triste verdad no calzaba con su mundo perfecto.

Recuerdo haber observado a mi madre cuando un rato después se arreglaba el cabello para salir; movía imperceptiblemente las caderas entonando en un susurro una canción de moda. Me detuve en su cuerpo estilizado, en sus gestos finos como los de Melanie y supe que ellas pertenecían a otro reino, al reino de las mujeres felices, de las mujeres seguras, aquellas que acaparan las miradas y caminan con un halo de luz tras de sí. Melanie y mi madre espantaban con su belleza las sombras, el miedo y la rabia. Hasta ese día mi madre todopoderosa me había acogido en su castillo, haciéndome creer que yo era una de ellas. A pesar de sus esfuerzos, los muros comenzaban a desmoronarse y surgía el mundo, un mundo cruel y real donde mi pequeñez era evidente. Sacudía con violencia la cabeza cuando pensaba lo que ocurriría si mi madre un día despertaba de su ensueño —como había despertado yo—, y se daba cuenta de que su hija no era más que una adolescente gorda, atribulada y torpe. Dos meses más tarde dejé de comer. Podía seguir pretendiendo ser una de ellas, mientras que mi cuerpo, aquel trozo de mí misma que los demás inevitablemente verían, estuviera bajo mi dominio. Se había acabado mi inocencia y estaba frente a una realidad oscura, secreta y sigilosa. Tenía quince años. Pero esto no se lo cuento a Paula, la terapeuta; ella me mira con ojos vigilantes y a la vez calmos. Su cara es blanda y dulce como la masa de un pastel; sin embargo, una estela en su frente me revela su maciza voluntad.

El resto ocurrió en una secuencia lógica de hechos predeterminados, de la misma forma en que una escalera de dominó se pone en marcha al tocar la primera pieza. Mi supervivencia dependía exclusivamente del control que ejercía sobre mí misma. Recuerdo bien esa certeza de mi poder, que se hacía evidente al ver a otros sucumbir ante la tentación de comer. «Voy a probar un poquitín de torta», oía decir a mi madre, y yo podía prever lo que ese poquitín desataría: un pedazo más grande, un segundo y un tercero. No solo verla comer a ella me producía ese placer. También ver a mis amigas que en plena adolescencia se ensanchaban en todas direcciones, y por más que se ajustaran la ropa para parecer más delgadas, sus nuevas formas emergían suculentas por cada recodo de su cuerpo. Me gustaba acompañarlas al mall a tomar helados, o al McDonald's, y observarlas. Yo me compraba una coca-cola light gigante y simulaba participar, pero yo sabía que estaba ahí para suministrarle oxígeno a mi dolorida autoestima. Mis compañeras me parecían tan débiles, tan poca cosa, riéndose con la quijada abierta, dejando al descubierto trozos de comida a medio masticar pegados en sus dientes. Con sus rollos a la altura del estómago y su irrefrenable afán de comer, mis amigas me hacían sentir superior. Mi cuerpo, a diferencia del suyo, era limpio y puro. Al estar exento de todo alimento, se fue volviendo espigado. Es cierto que me desmayé un par de veces, una vez en el baño del colegio y otra en una fiesta. Pero eso no tenía para mí ninguna importancia. Mucho más potente era esa euforia adictiva que subía por mi pecho y me enarbolaba la cabeza, cuando veía los huesos de mis caderas dibujados en mis jeans.

Trotaba por las mañanas, cuando aún todos en mi familia dormían. En una ocasión, tropecé con una irregularidad del pavimento y me caí. No fue un golpe violento, aunque me hice una herida en la cadera. A través de mi piel me pareció ver mi hueso blanco y sanguinolento. Era horrible. Sentí mucho miedo, mi cuerpo se estremecía y no podía detener las lágrimas. Era la primera vez que tomaba conciencia de lo que estaba haciendo. Esa mañana después de improvisar una curación, comí todo aquello que a la hora del desayuno yo escondía en mi bolsón, para luego botarlo en un tarro de basura del colegio. Sentí alivio. Mastiqué las tostadas lentamente, saboreando la mantequilla y la mermelada de mora que Marcelina preparaba todos los veranos, y la leche con chocolate, y un pedazo de queque que saqué de la despensa y luego un platillo rebosante de cereales. Mi madre, como todas las mañanas, dormía. Solo Marcelina presenció mi primer atracón, y por fortuna calló. Cuando llegué al colegio, la euforia, tan efímera como el tiempo que me tomó llevarme la comida a la boca, había desaparecido por completo. Una gran angustia habitaba cada célula de mi cuerpo. Una angustia que amenazaba con transformarse en verdadero pánico. Había ingerido por lo menos dos mil calorías y mi cuerpo no tardaría en estallar como habían estallado los cuerpos de mis compañeras. Un instinto animal me condujo al baño. Cerré la puerta con llave y me metí por primera vez los dedos a la garganta. Todo lo que había comido no tardó en salir expulsado de una forma tan violenta, que tuve que arrimarme a la muralla del baño para no caerme. El olor era nauseabundo, y los restos de mermelada y leche con chocolate conformaban un espectáculo que me hizo cerrar los ojos. Me quedé encerrada en el baño un buen rato, sentada en la tapa del escusado, la cabeza apoyada en mis manos, intentando no pensar. Sentí que el día se extinguía rápidamente. Yo me extinguía. Alrededor de las diez alguien entró al baño.

Me levanté, ordené mi cabello en una cola de caballo para ocultar los restos de inmundicia que se habían adherido, y salí. Esa fue la primera vez, después vendrían muchas. La herida en mi cadera tardaría meses en cicatrizar. Mi piel parecía no tener las fuerzas necesarias para reconstituirse.

Cuando entré a la escuela de teatro tenía diecisiete años y pesaba cuarenta y tres kilos. Allí conocí a Rodrigo con quien vivo hace dos años. No sé qué hubiera pasado si Rodrigo no se hubiera enamorado de mis huesos. No puedo culparlo a él por todo esto, cuando me conoció, yo ya llevaba dos años atracándome. Tampoco sé qué hubiera pasado si mi madre no fuera tan bella y tan perfecta, pero algo me dice que nada hubiera cambiado. Tengo la sensación de haber nacido así, envuelta en un manto que llevaba la palabra «miedo» estampado en él, y que me cubrió y oscureció el sol, y opacó todo lo bello que pudo haber en mí. Me he pasado la vida ocultando mis múltiples e ilimitadas carencias, mintiendo, engañando a todos los seres que he querido para que no me abandonen.

—No tengas miedo —escucho la voz de Ana. Pero lo dice sin aliento, sin fuerza, como si hubiera hecho un largo camino y ahora, conmigo a cuestas, no tuviera dónde ir.

¿Cuándo apareció Ana? No la oí entrar. Debo estar hablando hace un buen rato sin darme cuenta. Paula sentada en el mismo sitio me mira, pero sus ojos no son escrutadores. De todas formas siento vergüenza, y me he cubierto el rostro con las manos. Debo estar temblando, pues Ana me habla y sostiene mis manos en las suyas.

—Ya no estás sola —la escucho decir. Y su voz tiene la textura de un puerto, un largo y ancho puerto donde mi barco fantasma busca con desesperación anclarse. ¿Será cierto? Seguramente es una más de las tantas alucinaciones piadosas y cursis que surgen cuando estoy a punto de caer. Pero ella me mira y pienso que tal vez, solo tal vez, exista algún remoto hechizo capaz de destejer mi destino.

En tanto, los ojos de Paula tienen un tono cetrino casi irreal y brillan en la blancura de su rostro.

Ana

Hace diez días que la vida está capturada en el silencio de Daniela. Y a fuerza de ver siempre la misma ventana, la cama blanca de Daniela, sus ojos abandonados y su tristeza, Ana siente que el tiempo empieza a pasar en redondo.

Ana habla. Le cuenta que ha llamado por teléfono a Rodrigo varias veces sin hallarlo y que le ha dejado recados en el contestador, inventando historias que no está segura sean verosímiles. Como por ejemplo que el artesano-pescador de Horcón se cayó al agua y está con una pulmonía feroz.

—Es para la risa ¿no? —pregunta Ana sin esperar respuesta de Daniela.

También le dice que ha hablado un par de veces con su padre y que no ha sido fácil ser convincente a la hora de explicarle todos esos pormenores falsos de su viaje.

Ana continúa hablando y le cuenta que envió la moto a Santiago en un camión amarillo y destartalado, porque cuando vuelvan (si eso ocurre algún día, cavila sin decírselo), no volverán en ese bólido de acero. Le relata asimismo que logró cerrar su cuenta y sacar sus cosas del hotel y que Francisco, su ayudante, le envió su maleta por autobús. Llegó intacta, y pudo cambiarse de ropa, porque ya estaba aburrida de sus jeans y con los días ya comenzaba a oler mal.

—¿No te has dado cuenta de que ando olorosita y bien vestida? —le pregunta con una sonrisa.

El hadabienvivida, continúa explicándole, se ha preocupado de mimarla en esos escasos momentos en que se aparece por su casa, y acentúa la palabra casa, porque ya no la siente como una pensión, sino más bien como un refugio. Le pregunta también cómo ha andado la charla diaria con Paula, y ante el persistente silencio de Daniela, le cuenta que ella les ha recomendado una clínica en Santiago donde tratan la bulimia. Y mientras habla, Ana se da cuenta de que nunca antes había sentido esa urgencia por alguien, ese deseo doloroso de ver a otro sonreír.

Lo que no le cuenta es que llamó a su agente y que él la amenazó con deshacer todos los contratos de trabajo. Que la acusó de irresponsable, de errática, de sentimental incluso, porque ella cometió la estupidez de decirle la verdad, que cuidaba a una sobrina en una clínica en el puerto de Valparaíso, que la chica no quería llamar a sus padres y que ella había respetado su decisión. Entonces él replicó en un tono mordaz (propio de aquellos agentes que saborean su embrionario poder), si no tenía nombre masculino esa sobrina. Sin despedirse, Ana colgó. Tampoco le cuenta a Daniela que ha tenido que echarle mano a sus ahorros en Londres, para pagar esos gastos que no tenía para nada contemplados, ni que esa misma mañana llamó a Jeremy y esperó a que el teléfono tañera en su oído, e imaginó esa misma resonancia escuchándose en la cocina y también en la mesa de noche de él. Nadie contestó, y si lo hubiera hecho, si Jeremy hubiera alzado el auricular, lo más probable es que ella hubiera colgado. No sabe qué decirle. Solo sabe que una fuerza más allá de ella misma la impulsa a esos actos irracionales, pueriles incluso, los cuales es incapaz de refrenar ni menos confesar. Y acaso lo que jamás podría revelarle a Daniela, son sus deseos de contarle a Joaquín lo que está ocurriendo. No puede decirle que se siente atrapada en una jaula, cuyas barras, construidas de esta nueva índole de afecto y de responsabilidad, la ahogan como si fueran de acero.

—¿Después de Venecia, qué pasó? —escucha de pronto.

Daniela ha hablado. Y Ana no puede disimular su emoción. Coge su mano y la conserva entre las suyas.

—No querrás hablar de eso ahora —balbucea Ana. Y se siente culpable por todas esas historias que derramó en Daniela como en un cubo de basura. No importaba quién fuera, el asunto era hablar, hablar, exorcizar, sin pensar que al otro lado estaba esa niña que ahora la mira.

—¿Después de Venecia qué pasó? —vuelve a repetir Daniela con decisión.

Ante el silencio de Ana, ella insiste:

—Quiero viajar, por eso te lo pido. Estoy aburrida de mirar la pared.

—Eres tú quien debería hablar, Daniela, no yo —Ana la mira expectante sin respirar casi, y los ojos de Daniela se nublan nuevamente—. La doctora insiste que te hace bien...

—...

—Acepto. Pero primero voy a decirte

algo. ¿Sabes? Yo siempre había despreciado a esas personas que se ponen a contarte su intimidad a buenas y primeras. Que el marido ya no las toca, o que su terapeuta es un pirómano, o te hacen el relato minucioso de la primera vez que tuvieron un orgasmo. Patético, de veras. Pero hace bien abrir las compuertas y dejar salir un poco esa mierda que tenemos en el coco. Yo no lo había intentado nunca. Y ahora me doy cuenta, Daniela, de que en esa categórica discreción, de la cual me he sentido siempre tan orgullosa, hay un trasfondo de soberbia. ¿Me oíste?

Daniela asiente con un gesto de la cabeza y una sonrisa. La primera de esos días.

*

—A las dos semanas de nuestro retorno de Venecia, Jeremy ya había hallado un departamento en Londres, a las orillas del parque de Hampstead, el barrio donde vivió Freud, y donde hoy cohabitan psicoanalistas e intelectuales de izquierda. No solo eso, a las tres semanas ya lo había amoblado, y a las cuatro conocía prácticamente a todos los almaceneros, camareras de cafés, además del vendedor de pescado, el de periódicos, y por supuesto, el cartero del barrio. Y todo esto sin perder por un minuto la calma, ni ese hálito radiante que lo envolvía y protegía de cualquier suceso desagradable que atentara contra sus planes de ser feliz. A las cinco semanas, yo pasaba mucho más tiempo en su paraíso que en mi despoblado departamento. Debo confesarte que a pesar de que he vivido allí por más de cinco años, en mi departamento no hay más mobiliario que una apoteósica cama, una televisión y un sofá (donde la Señora Palmer pasa su vida de gata). ¿Ya te hablé de ella, verdad? Ah, lo olvidaba, y un par de plantas que sobreviven por milagro a las inclemencias de mis viajes.

Nos pasábamos tardes enteras frente a la chimenea, Jeremy profundizando sus conocimientos sobre una bacteria llamada *B. Subtilis* (en su año sabático se había propuesto escribir un libro sobre ella), yo seleccionando y ordenando mis fotos, y la Señora Palmer ronroneando. De tanto en tanto, nos mirábamos, y el silencio se ensanchaba y se hacía limpio y calmo como la visión del parque de Hampstead, que se extendía ante nosotros por la ventana de su departamento. Recuerdo en especial una tarde. Nada particular la distingue de otras. Solo que ese día me detuve a observar a Jeremy. Su concentración era absoluta. Observé sus manos largas, su cuerpo delgado y fuerte que por las noches amaba, y que en ese instante parecía detenido en pos de una idea, un pensamiento que Jeremy procuraba atrapar. Entonces intenté con todas mis fuerzas que él sintiera mi mirada sobre él; quería poner a prueba nuestro vínculo. De pronto, Jeremy alzó la vista y se encontró con mis ojos fijos en él.

—¿Qué pasa? —preguntó con una voz enronquecida por el extenso lapso de silencio.

Con emoción salté sobre él y le di un beso. Al mismo tiempo sentí temor. Temor que aquello fuera tan solo un juego de dos adultos pretendiendo estar enamorados, para satisfacer su ego y su curiosidad. Pero más que a eso, le temí a la vivacidad de su mirada, a la forma resoluta con que atrapó mis caderas y me atrajo hacia él como si yo le perteneciera y mi vida estuviera circunscrita a sus brazos, a ese mundo que él había construido para mí. Temí asimismo que Jeremy estuviera viendo en mí a otra mujer. Habían sido tantos los personajes que había representado durante nuestro período inicial, el de conquista por así decirlo, tanto el esfuerzo que había desplegado con el fin de trastornarle la cabeza, que había terminado creando un ser ficticio, un ser sin duda más luminoso y excitante que yo. Si permanecía mucho tiempo a su lado, tarde o temprano, Jeremy se daría cuenta. Todas esas cosas se me vinieron a la mente (en forma dislocada, pero a la vez concreta), en esos momentos en que sentada sobre las piernas de Jeremy apretaba mi rostro a medias ruborizado, a medias lloroso contra una esquina de su pecho. Por un segundo sentí un dolor que se parecía al placer. Los sentimientos ya no tenían nombres propios, ni contornos. Desearlo era perderme a mí misma. Abrazarlo así era detenerme. Siempre había experimentado el deseo como algo activo y a la vez transitorio: desear a un hombre y follármelo, ansiar un chocolate y comérmelo, añorar emborracharme y llamar a mis amigos para salir de juerga. Sin embargo, por primera vez mi deseo era estático. Lo único que yo quería era prolongar ese abrazo infinitamente.

Estábamos la mayor parte del tiempo juntos, a excepción de mis viajes de trabajo. Incluso si las sesiones fotográficas eran en Londres o en las cercanías, Jeremy solía acompañarme. Llevaba un libro y me observaba desde un rincón, con esa serenidad que le es tan propia. Poco a poco fui conociendo su naturaleza, que por un lado me parecía admirable y que por el otro me desconcertaba.

Recuerdo que en una oportunidad, recibió una invitación para dar una clase magistral en un importante encuentro de biología molecular. Lo pensó un par de días y luego envió un e-mail rechazando la invitación. Ir, me explicó, significaba interrumpir ese flujo creativo que había logrado después de mucho esfuerzo en la escritura de su libro. Significaba, además, lidiar con macizas vanidades y poderosos egos. En el encuentro, cada uno hablaría de lo suyo, y nadie escucharía a nadie. Qué sentido tenía ir a animarle la fiesta a otros, si zambullirse en su trabajo era como asistir a una fiesta llena de ingenio, belleza y magia donde él era, además, el invitado principal. Un bombardeo de ruegos llegó esa misma tarde. El mismísimo director del encuentro exigía su presencia. Jeremy no quería parecer arrogante, pero más que la opinión de los otros, le importaba resguardar esos instantes de inspiración y armonía. Ceder significaba entregarse al blando y efímero encanto de un momento de gloria. Creo que fue ese gesto el que me reveló finalmente cuán resoluto era su carácter.

Durante ese tiempo apenas frecuentamos a nuestros amigos. A excepción de Elinor. Nuestro primer acontecimiento social fue justamente su cumpleaños.

Elinor nos había pedido que la ayudáramos con los preparativos, razón por la cual partimos ese sábado temprano por la mañana.

Había un viento cálido, casi corpóreo y en lo alto, presagiando la lluvia, una gran cantidad de nubes se arremolinaba. Un par de kilómetros antes de llegar, tuve una visión que me estremeció. Los perfiles plateados de las nubes, de pronto se volvieron bestias inmensas y feroces que se precipitaban sobre nosotros. Sentí miedo. Era tan incomprensible y a la vez tan absurdo mi temor, que con gusto lo hubiera ocultado, pero fui incapaz. No pude resistir el impulso de arrimarme a Jeremy. Él soltó la mano izquierda del volante y me hizo una caricia. Debe haber percibido mi temblor. Detuvo el auto y me abrazó sin decir palabra. Permanecimos unidos en silencio, hasta que mi respiración se hizo imperceptible, solo entonces Jeremy me preguntó si estaba bien, y ante mi gesto afirmativo volvió a poner el auto en marcha.

Un rato después estábamos frente a la imponente residencia de Elinor. Avanzamos por la columnata formada de árboles seculares, y aparcamos el auto frente al pórtico. Elinor nos estaba esperando. Pronto nos dimos cuenta de que con su organización inglesa, hasta el último detalle de su fiesta estaba ya resuelto. Nos había pedido que llegáramos temprano, más bien para que compartiéramos con ella esas horas caprichosas que anteceden al arribo de los primeros invitados. Almorzamos frugalmente en una terraza cubierta, de la cual parece siempre desprenderse un irresistible halo de lujo. El parque en esa época del año se veía espléndido, con sus cálices perfumados y sus espesos grupos de arbustos. Las bestias feroces del cielo habían desaparecido. Elinor se veía rebosante. Nos contó de su nuevo amorcillo.

—Es prácticamente hermafrodita —nos explicó, enarcando las cejas con un gesto teatral. Se trataba de una holandesa llamada Mella, coleccionista de historias negras. Así lo expresó Elinor. Según lo que nos dijo, Mella viajaba por el mundo cual cazadora, persiguiendo y atrapando historias truculentas y ominosas, con las cuales después haría una antología.

—Yo le puedo contar varias —la interrumpió Jeremy con una sonrisa, al tiempo que se llevaba la copa de vino blanco a la boca.

Yo no dije palabra, aunque en un segundo aparecieron ante mis ojos varias escenas de mi propia vida que sin duda constituían historias negras. Me quedé pensando asimismo, cuáles serían esas historias que Jeremy tenía para contar. ¿Serían anécdotas de su propia vida? Una morbosa curiosidad me asaltó. Quería saber de Jeremy, de ese lado oscuro que estaba segura existía en él, pero al cual nunca me había asomado.

Después de almuerzo, Elinor se retiró a su habitación y nosotros a la nuestra. Decidimos que después de todo ese vino, lo mejor era dormir una buena siesta para estar compuestos por la noche.

Me quitaba los pantalones cuando Jeremy preguntó:

—Yo me acosté con Elinor, ¿y tú?

Lo miré estupefacta, los pantalones que tenía sujetos hasta ese instante en mis muslos, cayeron al suelo.

—¿Es una confesión o una inquisición? —mi voz sonó más fría de lo que hubiera deseado en la amplitud de la antigua estancia. Jeremy no respondió. Por la forma en que me miraba, una mezcla de fascinación y curiosidad, me pareció que no tenía intenciones de iniciar una disputa. Frente a su silencio, contesté:

—Sí. Muchas veces.

—Yo solo una vez, en su auto —dijo Jeremy.

Esa tarde hicimos el amor con pasión. Acudían a mi mente las imágenes de Jeremy y Elinor sudando sobre el tapiz crema de su Jaguar, veía sus cuerpos enlazados, urgidos, penetrándose mutuamente, satisfaciendo su deseo animal. Imágenes que electrizaban mis sentidos. Nunca había sido con Jeremy tan despiadada y a la vez tan intrépida. Con brusquedad guiaba sus manos y su cuerpo a mi antojo, buscando sin miramientos mi propio placer. Luego él hizo lo mismo conmigo, y su ímpetu, debo confesarlo, bordeaba la ferocidad.

Después de la siesta me di un largo baño de espuma en una bañera de mármol y luego me vestí. Me había comprado un vestido especialmente para la fiesta de Elinor. Era largo, evanescente, sedoso y escotado; frondosos helechos subían por mis piernas y se detenían en mi cintura. Un par de tirantes color oro cruzándose en la espalda, le otorgaban al vestido un aire delicado y a la vez sensual.

Jeremy decidió quedarse un rato más leyendo en la cama frente a un retrato de Elinor, una estupenda fotografía que Avedon le había hecho en su juventud. Un detalle (ese de plantificar frente a nuestra cama su glamorosa persona), del cual ya nos habíamos reído un buen rato. No tenía ningún apuro, dijo Jeremy, los invitados llegarían poco a poco y recién a las diez valdría la pena bajar.

—¿Y Elinor? —pregunté yo.

—Bueno, para eso estás tú, mi amor —me dijo mientras se sacaba los anteojos de lectura. Me miró sin realmente verme, con el libro en la mano y los ojos embadurnados de letras.

Me quedé frente a él esperando que dijera algo, un mínimo comentario a mi apariencia, pero no dijo nada. Se volvió a poner los anteojos y retornó a su libro. Salí pensando en que no dejaría que ese insignificante incidente me arruinara la noche.

La primera persona con quien me topé en el gran salón fue Anthony. Se lanzó a mis brazos con una emoción que no supe si considerar verdadera o fingida. Alegaba que desde aquel lejano fin de semana de la adquisición del Hockney, no me había vuelto a ver, y este era un grave error del destino que nosotros debíamos encargarnos de corregir. Me tomó de las manos y dio un paso hacia atrás para mirarme.

—Estás conmovedora, Ana —me dijo y sus ojos despedían unos minúsculos destellos de avidez. Elogio, en todo caso, que consolidó mi rumbo hacia el buen humor.

Me acerqué a Elinor y le pedí disculpas por no haber bajado antes. Elinor apretó mi mano con una sonrisa benevolente y luego se dirigió hacia el hall, donde un grupo de invitados hacía su aparición.

Una mujer con aspecto de bibliotecaria se acercó a mí. Unos anteojillos descansaban sobre su prominente y noble nariz.

—Tú eres Ana —dijo con seguridad. Su voz ronca contrastaba con su aspecto endeble. Mordiscaba las duras consonantes inglesas como si fuesen piedras—. Me presento, yo soy Mella —agregó y extendió su mano para saludarme. Por la forma de presentarse y la expresión de su rostro, parecía esperar que su nombre desencadenara en mí una escalada de admiración.

No pude evitar reírme. Por las descripciones de Elinor me había imaginado a Mella como una aventurera de sombrero de ala ancha, fornida y muy sajona.

—Disculpa —dije de pronto propinándole un beso en la mejilla, al darme cuenta de que estaba siendo mal educada.

Una pareja de amigos se acercó a nosotras. Bob, uno de ellos, aproximó su carnosa boca a mi oído y me preguntó de dónde provenía mi fosforescencia.

—La pasión, querido, como siempre la pasión —respondí y con un paso de bailarina me alejé de ellos.

La metamorfosis debió llevarse a cabo mientras dormíamos la siesta. Una carpa blanca cubría la grandiosa terraza y en su interior, decenas de velones gigantes se erguían y flameaban como nobles servidores. Imaginé que desde la distancia, la casa debía verse como un gran barco flotando en la oscuridad. Era una noche vacilante de septiembre. Una de esas noches que no se deciden a ser oscuras ni claras, y las nubes juegan a atrapar la luna, recreando para los que presenciamos esta coquetería, un insinuante y misterioso espectáculo. La mayoría de los invitados ya había llegado y se movían entre los majestuosos ramos de flores con una gracia en absoluto espontánea. Estaban allí algunos de mis amigos más íntimos, además de un montón de conocidos, y un número nada despreciable de almas por conocer. Todo ese cosmos zigzagueante volvió a excitarme, y los largos meses de abstinencia social junto a Jeremy, de repente se me vinieron encima. En ese instante yo era como un reo que había sido liberado y veía después de un largo tiempo, la exultante luz del sol.

Jeremy apareció a las diez en punto. Yo le describía a un pequeño grupo de personas el impacto que me había causado encontrar la ciudad de Venecia tapizada con su cuerpo desnudo. Mientras hablaba, iba recuperando ese placer casi divino que produce el saberse el centro de atención y del deseo. Jeremy me saludó con una mano alzada a la distancia. Se veía viril y noble con su traje azul que se amoldaba perfecto a su cuerpo. Yo sabía que estaba usufructuando de la intimidad de Jeremy con el fin de cautivar a mi audiencia. Pero no podía evitarlo. En el grupo de oyentes había un joven arquitecto de barba rubia y rasante que me miraba intensamente, sus ojos delataban las mil preguntas que se hacía sobre mí. Me sentí como una adicta que había sido privada de su droga. La atención de Anthony, Marlon (el dentista de Elinor), del arquitecto rubio y de Cornelia, una joven alta y ondulante como una bandera, era la dosis que necesitaba.

A la hora de la comida, Elinor nos sentó en su mesa junto a Mella, Anthony y un par de parejas que yo había visto con anterioridad en otra de sus fiestas, aunque con quienes por alguna razón —acaso por desinterés mutuo—, no había intimado. Elinor dispuso también en nuestra mesa a una atractiva coleccionista de arte africano que tenía varios títulos nobiliarios y otros tantos millones de dólares en su cuenta suiza. Éramos los elegidos. Llegado un punto, Elinor me pidió que la acompañara a circular por las mesas, tarea que me complació enormemente. Prefería mil veces vagar en conversaciones de *garden party,* compartiendo frases afiladas y cargadas de humor (de esas que los ingleses adoran y que yo con el tiempo había logrado emular con cierta habilidad), que permanecer atrapada en una mesa protocolar. Jeremy, por fortuna, demostraba con creces su espíritu independiente. De hecho, había entablado una animada conversación con la coleccionista, de cuya mano colgaba un cigarrillo negro a efectos puramente ornamentales, puesto que no tenía idea de aspirar el humo. Me tomé la sopa de hierbas en una mesa, me comí el faisán en otra, los variados postres en otras tantas, y un trozo de la monumental torta de chocolate de Elinor en otra. Cuando volví donde había dejado a Jeremy, ya todos se habían levantado de la mesa. El café, como es la costumbre, lo tomaban los caballeros en la biblioteca con sus brandys y sus whiskys, mientras que las señoras tomaban el suyo, desperdigadas por todas partes. Busqué a Jeremy, aunque debo confesar, sin demasiada dedicación. En algún momento, tuve la mala suerte de toparme otra vez con Cornelia, la chica que había escuchado mi historia de Venecia, quien bajando lentamente sus párpados pintados como si fueran dos alerones negros, inició una de esas patéticas sesiones de confidencias de quienes creen haber encontrado por fin un alma gemela en «medio de la jungla de vanidades» (palabras literales de ella). Intenté varias veces detenerla con un comentario como: «¿No crees que debiéramos rellenar nuestros vasos?», aunque era inútil. Me relataba su cuarta sesión fallida con su siquiatra, cuando Elinor me rescató al solicitarme que encontrara alguna forma de empezar el baile. El volumen de la música había aumentado considerablemente, pero los invitados seguían aferrados a sus copas, unos al lado de los otros, sin moverse. Me gustaba ese papel de maestra de ceremonias que, sin acuerdo previo, Elinor me otorgaba. Tomé del brazo a Anthony, y enfilamos hacia la terraza en cuyo centro estaba la pista de baile. No mucho después un tumulto bailaba animado.

En un momento, el arquitecto de barba rasante me tomó de la cintura y apretó sus caderas a las mías. Bailaba maravillosamente. Nuestros cuerpos se movían al unísono con potencia. A través de las cabezas movedizas vi a Jeremy. Se acercó al borde de la terraza sin decidirse a participar. Con una copa en la mano, se apostó junto a una de las columnas de la carpa y se quedó mirándome. Bailé para ambos, para el arquitecto y para Jeremy. Mis movimientos se hicieron amplios, sueltos y ondulantes. Me sentía luminosa, como si un foco oculto me hubiera apuntado. El arquitecto me decía al oído cosas que yo apenas escuchaba. En tanto, Jeremy continuaba mirándome. En un comienzo su expresión fue de complacencia, como la de un padre que observa un delicioso y a la vez inocente acto de su retoño, pero pronto sus ojos me parecieron aturdidos por un velado placer. Unos momentos después desapareció de mi radio visual, pero yo estaba demasiado absorbida por el baile para preocuparme de ello. Al bailar sentía la sensualidad de mi cuerpo, y la de todos los cuerpos danzantes que parecían tocados por una fuerza mórbida, rozándose y abrazándose con exaltación, uniéndose al pasar en gestos cargados de voluptuosidad. Anthony, con su impecable chaqueta azul de botones dorados, movía las piernas y las caderas como si un motor oculto las estuviera propulsando, y deambulaba de aquí para allá, preocupado como siempre, de que nadie quedara rezagado del festín. Cuando la música se detuvo por un instante, el arquitecto y yo estábamos sudando. Con uno de sus dedos recorrió mi espalda y luego me mostró las gotitas de sudor que había atrapado. Nos separamos dispersándonos entre la gente, pero una media hora más tarde nos volvimos a encontrar. Me tomó de la cintura y me estrechó con la urgencia de un adolescente. Debo confesar que la champaña se me había subido a la cabeza y que las burbujas en lugar de quedarse en mi estómago, mariposeaban frente a mis ojos tiñendo el rostro del arquitecto. Me cogió por el codo y me guió hacia el pequeño salón del fondo del pasillo, al cual, era obvio, por la seguridad con que me condujo hasta allí, había incursionado antes. En la intimidad de aquella estancia donde relucían el brocato y el bronce, nos sacamos lo imprescindible con actitud eficiente, sin mirarnos demasiado, o al menos yo a él. Del bolsillo de su pantalón sacó un paquete de condones que al abrirlo se desarmó, desatando una lluvia de envoltorios; ambos nos reímos y de rodillas intentamos volverlos a su lugar de origen con la mayor presteza que nos fue posible. Sin intercambiar más que la risa que nos provocó vernos el uno al otro como perros olfateando el suelo en busca de los condones, nos echamos un polvo frente al cuadro del ADN (que tanto había observado Jeremy la primera vez que nos vimos), y ante los ceñudos antepasados de Elinor que colgaban de las paredes. El arquitecto me pidió que retornáramos juntos a Londres, quería dormir conmigo, y despertarme por la mañana con un buen desayuno de huevos y tocino. La sola idea me revolvió el estómago; odio los huevos con tocino. En un instante me tomó del brazo e intentó tumbarme nuevamente sobre el sofá, pero yo con un gesto me deshice de él. «Como quieras», convino, me dio un beso en la frente y desapareció por el pasillo. Cuando volví a la fiesta, seguía algo mareada, razón por la cual, supongo, todo de pronto se distorsionó. Lo que antes me había parecido un grupo desaprensivo y alegre, tenía ahora la apariencia de una manada de hienas. Recuerdo en especial a un par de mujeres apostadas contra la baranda de la escalera que al verme pasar (debe haber sido mera casualidad), soltaron al unísono una carcajada histérica y tirante.

No volví a ver a Jeremy esa noche hasta muy tarde, cuando todos los invitados habían partido y ambos nos fuimos a acostar. Nos dimos un cauto beso y él se quedó dormido. Entonces, sin poder evitarlo me puse a pensar. Jeremy me había demostrado tener un grado de autonomía que nunca antes había visto en otro hombre. No había abandonado su flema por un segundo, ni su mirada complaciente y lejana, ni los gestos mesurados y elegantes de un hombre que tiene la destreza para conjugar en su persona la elite intelectual y social; y que al mismo tiempo le importa un carajo todo aquello. Notable. Tal vez Jeremy era el tipo de hombre a cuyo lado podía seguir siendo yo misma. Sin embargo, y esto era tal vez lo más serio, su indiferencia me producía una sensación de desamparo. Estaba, de alguna extraña forma, atrapada. Pero no por mis usuales enemigos: la pacatería, los prejuicios, los convencionalismos, la familia (como había vociferado con el puño en alto un millón veces), sino que, por primera vez, me sentí atrapada por mi esencia. Una esencia que estaba ahora plagada de contradicciones.

Según me expresó Jeremy a la mañana siguiente, le había gustado verme feliz y expansiva, seduciendo a destajo a quien se cruzara en mi camino. Y aunque sus palabras no eran precisamente neutras, la expresión de su rostro sí lo era.

Nuestra vida continuó como antes. Largos e íntimos días sucediéndose unos a otros como soldaditos de plomo. Con la diferencia que Jeremy, imbuido en la escritura de su libro, se había vuelto algo distante. Su forma de mirarme, con los meses se había tornado casi neutra, y su necesidad imperiosa de tocarme había perdido la urgencia de los primeros tiempos. Debo admitir sí, que toda esa escalada de deseo que él desataba en mí, aunque no extinguida, también se había diluido. Es lo que ocurre supongo, cuando te despiertas por demasiado tiempo con el mismo ser en tu cama. Nosotros ya habíamos cumplido un año. No obstante, yo intentaba animarme, diciéndome que a cambio de la exaltación inicial, tenía un montón de otras cosas, como por ejemplo, esa caricia suya en el auto, antes de llegar a la fiesta de Elinor, que apaciguó mis temores más arcaicos. Asimismo, y esto no es menor, Jeremy no dejaba nunca de mimar a la Señora Palmer.

Durante ese tiempo aconteció algo que no está directamente relacionado con Jeremy, pero que ahora adquiere las características de un presagio. Ocurrió a una hora improbable, cuando los bares ingleses abren sus puertas y ventanas para disipar ese aire viciado que ha dejado la noche. Las sillas estaban aún sobre las mesas y había en el lugar un intenso olor a cerveza añeja y a humedad; ese olor rancio que más tarde queda oculto tras el humo de los cigarros y el calor de los cuerpos. La pareja centenaria que debía fotografiar para el *Sunday Times Magazine*, me había pedido que volviera a su casa un par de horas más tarde, porque no habían despertado de buen ánimo ese día. Puesto que había sido dificilísimo que accedieran a ser fotografiados, y aquella era la única oportunidad que nos habían dado, no me quedaba más que acceder a sus caprichos y esperar en el pub más cercano.

Había un solo hombre en la barra. Debió haber llegado minutos antes que yo. El hombre tenía los codos sobre la barra. Su cuerpo me recordó un escuálido árbol de ramas doblegadas. Traía una chaqueta de buena marca, bastante nueva pero arrugada, los bolsillos y el cuello desbocados como si la llevara puesta unos cuantos días. Me llamó la atención su cabeza, un huevo blancuzco intervenido por rebeldes hilachas de pelo grisáceo un poco más arriba del cuello. Hacía girar con sus dedos una copa vacía y murmuraba algo en un ritmo monótono, como si repitiera el estribillo de una canción. No podía ver su rostro, solo ese movimiento nervioso que de pronto se detenía por un segundo cuando tomaba la copa con todos los dedos de su mano. Me di cuenta de que lo que el hombre hacía era ganar tiempo, o perderlo sin desarmarse, hasta permitirse otro vaso idéntico al que debió tomarse en pocos segundos, antes de que yo entrara. Lo presentí, no sé cómo, porque nada en ese hombre podía recordarme a Anthony, pero lo supe y por eso mismo me detuve a observarlo más tiempo del que hubiera mirado a cualquier otro hombre en esas circunstancias. Fue cuando pidió otra copa al chico que secaba vasos en una esquina de la barra, y se estiró en su taburete para extraer dinero del bolsillo de su pantalón, que Anthony me vio. Sus ojos se cerraron, se volvieron a abrir, estaban húmedos, turbios, y su boca se transformó en una contorsión. Sabía que ese cabello sedoso de Anthony era una peluca, todos lo sabíamos, aunque hace tiempo que lo habíamos olvidado, tan bien encajaba en su rostro. Sabíamos asimismo que en ciertos períodos, Anthony desaparecía, como si la tierra se lo hubiera tragado. La visión conmocionó todo mi ser. Yo me había paseado durante mucho tiempo por un maravilloso parque, acogedor, familiar, lleno de flores, y de pronto, Anthony, me revelaba los tortuosos corredores ocultos bajo sus suelos, donde yacía otro parque. Un parque del infierno. Anthony, a punta de encanto, de lealtad, de estar siempre alegre, dispuesto a alimentar nuestra vanidad con sus alabanzas y su esmero, había logrado ocultarlo. Me acerqué a él. Él volvió la mirada hacia delante; no nos dijimos palabra. Me senté a su lado y pedí un café con leche. Lo tomé lentamente en tanto él con impaciencia se llevaba el vaso a la boca, elevando la cabeza hacia el techo como si ese movimiento pudiera apresurar el alivio ansiado.

De pronto, Anthony, de forma indirecta, me revelaba mi ceguera. Esta súbita lucidez me hacía dudar de todo. ¿Hasta qué punto lo que estaba viviendo con Jeremy no era más que una ilusión construida a punta de cerrar los ojos? Mal que mal, si revisaba mis relaciones anteriores, podía concluir que yo, Ana Bulnes, era incapaz de amar, demasiado lúcida para creer en el amor (demasiado escéptica, diría Elinor; demasiado cobarde, diría Jeremy). Un par de lágrimas cayeron por mis mejillas. Anthony al verlas me hizo una caricia con su mano áspera, y entonces yo le confesé que no lloraba por él, que lloraba por mí, y él me abrazó sin convicción, como se podría abrazar a un niño ajeno que se ha encontrado en el parque afligido y se debe por obligación consolar. Luego se despidió con esa mirada melancólica y extraviada de los borrachos, dejándome allí sentada, frente a un espejo de dibujos victorianos.

*

Pocos días después, durante el desayuno, Jeremy me contó un sueño que había tenido esa noche. En su sueño, yo tiraba con un adolescente cuya apariencia era la de un efebo griego.

—¿Y? —le pregunté con la boca llena de pan tostado.

—Yo me masturbaba frente a ustedes, tú me mirabas, era tremendamente excitante. Después el tipo desaparecía y nosotros hacíamos el amor.

—¡Impresionante, notable! —exclamé tras un respingo de asombro—. Hubiera pensado que tu fantasía era verme con otra mujer.

—¿Por qué piensas eso? —preguntó divertido.

—Es lo obvio. Un hombre, dos mujeres.

—Bueno, sí, esa es sin duda una fantasía potente, pero los sueños son los sueños, no son necesariamente mis fantasías. Ni menos mis deseos —concluyó con una expresión que se había vuelto grave.

Cuando terminé mi café, le di un beso en la frente y partí a mi trabajo. Ese día debía retratar a Kevin, el fotógrafo más cotizado del momento, a quien el *Dazed and Confused Magazine* le haría un reportaje.

Al estudio y residencia de Kevin se accedía por un laberinto. Por fortuna llegué al mismo tiempo que Deborah, la maquilladora con quien suelo trabajar. Ella supo cómo seguir las instrucciones que nos dio Kevin por el citófono. Al final del corredor había una cortina amarilla, tras la cortina, un nudo de pasillos iluminados con luces de colores y al fondo de uno de ellos: La Peluquería. Una peluquería con muros de tevinil rojo, aroma a incienso y música latina. Unas cuantas mujeres yacían inmóviles bajo unos inmensos secadores con pinceladas futuristas al estilo de los años sesenta, ante el ojo atento de un peluquero bigotudo y su ayudante hindú. Al otro extremo del salón, con la puerta de su estudio abierta de par en par, el rostro helénico de Kevin nos daba la bienvenida.

Nada en la apariencia de Kevin tenía que ver con el espacio donde vivía ni tampoco con sus fotografías de excrementos. Excrementos humanos, animales y espaciales. Los excrementos espaciales estaban constituidos por tomas aéreas en lugares donde se habían encontrado inexplicables manchas negras sobre la superficie de la tierra. Su obra había causado furor en la crítica y se lo postulaba para el gran premio que otorga la Tate, el Turner Prize, al artista más connotado del año. Su apariencia, en contraposición al concepto mugriento y rebuscado de su trabajo (esa fue mi impresión al verla unos días antes en una galería), era de una pureza inigualable. También su sonrisa y los modales afables y poco presuntuosos con los que nos recibió. Ian, el periodista, ya había llegado. Ian es un buen amigo mío, encantador y expansivo, aunque tiene la mala costumbre de limpiarse la nariz con la manga de la camisa. No más vernos, nos abrazamos frente a la mirada paciente de Kevin, con ese entusiasmo un poco exagerado de los histriónicos.

Fue una sesión fascinante. La belleza de Kevin aguzaba todos mis sentidos. Mis indicaciones eran precisas, breves y punzantes. Acércate, levanta esa barbilla, mírame como si vieras al diablo, ¡por Dios, así no!, me vas a matar, desordena tu pelo y ahora mira hacia acá, pero no abras completamente los ojos. Derribada por la intensidad de Kevin, terminé exhausta sobre una poltrona. Ian, quien presenció la breve sesión, me felicitó.

—Estás increíble, Ana, hace tiempo que no veía a un fotógrafo trabajar así.

Sonrojada, miré a Kevin, mal que mal él era un fotógrafo de los de verdad, de los que hacían arte (por muchas defecaciones que fotografiara). Yo en cambio producía embustes que perecían sistemáticamente en un océano de impresos desechables.

No fue hasta que estuvimos sentados en un pub, que recordé con estremecimiento el sueño de Jeremy. Él había hablado de un efebo griego. Pedimos cervezas y nos sentamos en las banquetas de madera que daban a la calle. Ian y Deborah, una vez consumidas sus cervezas, se despidieron de nosotros. Yo no quería irme, estaba bien con Kevin. Hablamos de fotografía. Compartimos experiencias. Comentamos el poder que ejerce un lente apuntando: no hay quien no se subyugue ni se torne dócil (como él mismo hacía unas horas, pero eso no se lo dije), ante la perspectiva de ver su gota de gracia inmortalizada en una fotografía. Podía ver en sus ojos la atracción que ejercía sobre él, y que retornaba a mí como esos rayos de las películas de ciencia-ficción a iluminarme. Pedimos más cervezas y le conté de mi afición a la caza fotográfica de sonrisas falsas, de miradas cínicas, de envidias encubiertas. Toda esa variedad de gestos que sus protagonistas probablemente no conocen. Es al fin y al cabo tan estrecha la variedad de expresiones que percibimos de nosotros mismos. Basta recordar nuestras mímicas frente al espejo, expresiones que la mayoría de las veces ni siquiera nos pertenecen, actitudes que hemos visto en alguien o que son parte de nuestro repertorio de deseos. Son esos otros gestos espontáneos, los que busco atrapar en las calles, en los supermercados, en las inauguraciones, en los cócteles, en los restaurantes, en el metro, del mismo modo que un entomólogo atrapa sus mariposas. En lugar de nombres como *Lybythea Cetis* o *Pieris Brassicae* los llamo: Envidia, Lascivia, Vanidad, Gula... Un proyecto que llevo años realizando (como le expliqué a Kevin), pero que quizás nunca concluiré.

Pensé entonces en ese sentimiento que me acompaña desde hace ya algunos años, esa noción de que todos estamos de paso por un corto e irrepetible lapso de tiempo, y sin embargo, nos pasamos la vida pataleando desenfrenados para lograr objetivos que una vez alcanzados no significan gran cosa. Y como si eso fuera poco, pronto iniciamos un nuevo pataleo titánico en pos de otro objetivo, con la esperanza de alcanzar la satisfacción prometida. Ese algo que nunca llega. Y frente a esta evidencia, hasta la más trascendente (o insignificante) de las aspiraciones, como amoblar mi propio departamento, llevar a cabo un proyecto fotográfico o incluso enamorarme, pierde todo sentido. Creo que mi expresión se volvió sombría. Fue en ese instante que Kevin me besó. Un beso que por un segundo fue dulce y que luego se transformó en una irrefrenable calentura. Sus manos sobaban mis pechos con suavidad contenida, «eres exquisita», me susurraba al oído, en tanto yo no perdía ni desperdiciaba nada, absolutamente nada de él. Después de un rato de manosearnos, él la tela de mis jeans y yo la de él, nos levantamos y caminamos hacia su departamento.

Más allá de la sala de Kevin, donde habíamos tomado las fotografías, había otra puerta. Una pieza con una cama apareció ante mis ojos algo borrachos. Su cuerpo, su piel y sus caricias consumaban todas las promesas que había intuido al verlo por primera vez esa mañana. Después de tirar, me quedé dormida. Me despertó la rabiosa luz de una mañana de verano que se filtraba por una lucerna del techo. Frente a la cama, pegado en la muralla, había un largo papel blanco, una suerte de pergamino que a pesar de tener los ojos abotagados, leí: «Lo menos preciado está a menudo asociado con lo más valioso. En la alquimia el excremento se vuelve oro». Frente a mis ojos tenía nada menos que el manifiesto del tipo con quien había pasado la noche. Mientras me ponía los pantalones, me pregunté si ese polvo espeso de Kevin se transformaría en mierda o en oro.

*

Jeremy leía el diario en la mesa de la cocina cuando llegué. Su expresión era la mímesis del hielo: transparente y fría. Continuó leyendo frente a una taza de café mientras yo me sacaba la chaqueta y me tropezaba con el canasto donde dormía la Señora Palmer. Ni siquiera me había lavado la cara. Estaba perdida, era incapaz de empezar una farsa. Además, no tenía sentido. Si nos hallábamos juntos era porque así lo queríamos. Nada más nos ataba, entonces, ¿qué fin tenía mentir e iniciar una doble vida o una vida múltiple?

Puse a calentar la tetera, saqué una taza, boté el café frío de la cafetera, la lavé, introduje dos cucharadas de café molido, le pregunté a Jeremy si quería más, él me respondió que no, que estaba bien así, y continuó su lectura del diario. Me miré en el reflejo del vidrio de la cocina, suspiré y me senté en la mesa frente a él. En un principio agradecí su silencio; era menos traumático que su hablar a golpes de dictámenes, sus frases breves y punzantes, no exentas de crueldad en ocasiones, agudas la mayoría de las veces. Pero pronto su silencio se volvió un acantilado por donde yo caía. Él en cambio estaba bien asido a su dignidad. Yo sabía que desde su punto de vista, comenzar una riña era darme pie a defenderme, y a envilecerse por una disputa tan poco noble. Me miraba con la distancia sólida y levemente melancólica del hombre que confirma la pequeñez de su amante. Recordé aquella noche en casa de Elinor cuando intuí su fortaleza y me propuse doblegarlo. ¿Era acaso ese el fin del juego? De ser así, era él quien había ganado. Y era mi naturaleza, la misma que siempre consideré un don, la que me había vencido. Recordé mi signo, el escorpión, incapaz de controlar el impulso que lo lleva a matar y, por consiguiente, a su propia muerte.

El silbato de la tetera detuvo mis divagaciones. Me levanté y llené la cafetera de agua, esperé unos minutos y bajé el disco de metal hasta el fondo para separar la borra del café.

En aquel instante sonó el teléfono. Jeremy se levantó a contestarlo. Era Kevin, el efebo griego. En algún momento le había dejado mi tarjeta, que llevaba impreso el teléfono de la casa de Jeremy. Apreté los puños y di un golpe en la mesa que fui incapaz de reprimir.

—Dile que ya no vivo aquí —dije sin mirar a Jeremy.

Después de cortar, Jeremy tomó su tazón y se dispuso a lavarlo.

—Así que ya no vives aquí —dijo de pronto. Me daba la espalda. Eran las primeras palabras que le escuchaba.

—Exactamente —dije con sequedad, aunque mi intención no era expresarme así. En otra época habría llenado aquel momento con una oratoria sin orden ni concierto, pero ahora era incapaz; los hechos eran tan consistentes que ocupaban todo el espacio y me confinaban a un rincón de la cocina donde permanecía apresada.

Jeremy no dijo nada. Deseé que abandonara ese aire de satisfacción, tan típico, en quienes nunca dejan de tener todo bajo control. Quizás un gesto suyo hubiera bastado para provocar mi confesión e incluso mi arrepentimiento. Quizás mi arrepentimiento hubiera derivado en una reconciliación y nuestro vínculo, en lugar de romperse, se hubiera fortalecido. Pero él no dijo nada. Y la encrucijada que en un segundo tenía varias vías igualmente posibles, se volvió un solo camino. A su silencio se sumó una extraña fuerza en mi interior, nacida de la convicción de que el amor perfecto solo existe en las malas novelas y en las películas mediocres. Recordé el incidente de Anthony que me había llevado a conclusiones similares a las que llegaba en ese instante. A las que llego siempre. Al fin y al cabo, a lo más que podemos aspirar en este constante movimiento, es a encuentros intensos pero perecibles, como el que se produjo entre Jeremy y yo. Cuando terminé mi café, Jeremy se levantó, tomó su chaqueta, cogió una carpeta de la mesa y se despidió.

—Volveré tarde, voy a la universidad, tengo unas cuantas reuniones.

Esa mañana tomé mis cosas y me fui.

Hacia el fin de la semana llamé a Jeremy. No sabía qué decirle, quería escuchar su voz. No fue necesario improvisar nada porque Jeremy sí tenía un montón de cosas que declararme. Ian lo había llamado. Tuve la mala suerte de encontrarme con él en las oficinas del diario al día siguiente de haber dejado el departamento de Jeremy. Le conté todo. Él conocía a Jeremy. Lo había entrevistado hacía algunos años a raíz de un revolucionario experimento, y desde entonces se encontraban de vez en cuando a charlar de abstracciones que solo ellos entendían. El propósito de Ian, según él mismo me explicó compungido unos días después, había sido componer las cosas. Estúpida suposición. Aunque si quiero ser justa, debo reconocer que su llamada no mejoró ni empeoró las cosas, simplemente apresuró su definición. La ira y desilusión de Jeremy no provenían del hecho de haberme liado con un fotógrafo, joven, guapo y exitoso. Provenía de mi cobardía, de mi infinita pequeñez, de mi incapacidad para defenderme y pelear por lo que deseaba. Porque él no tenía duda de que a pesar de mis pueriles arranques, yo estaba enganchada con él, solo que era una asquerosa cobarde. Por dos razones, me dijo: primero, porque era incapaz de resistir a mis impulsos y luego cuando cedía, no era capaz de remendar el daño. Me retiraba a mi cueva como un animal apocado y necio.

En lugar de debilitarme, cada palabra suya incrementaba mi rabia (una forma de hacer exactamente lo que él venía de describirme: huir). Cuando por fin Jeremy detuvo su discurso, reí. Le dije:

—No puedo creer que tú, un hombre tan racional, todavía creas en ese cuentito de la entrega absoluta. Para que sepas, el heroísmo en el amor hace rato pasó de moda.

Sentí placer de mis palabras afiladas, y de haberme tirado a un precioso efebo. Estaba, según las reglas establecidas, siendo una hija de puta, pero mi sensación de ahogo del último tiempo había desaparecido. No sentía culpa; por el contrario, sentía una inmensa libertad. Una vez traspuesto el límite del buen comportamiento, de lo permitido y de lo sensato, el horizonte volvía a abrirse ante mis ojos, cegándome con su fosforescencia recuperada. No valía la pena pretender otra cosa. Era allí donde pertenecía. Sentí supongo lo que deben sentir los homosexuales cuando finalmente abandonan el clóset, y no sin dolor se despojan de esa piel de cordero que les ha sido útil, pero que ya no les sirve, y se quedan desnudos, indefensos muchas veces, aunque con la certeza de que una vez al otro lado ya todo es posible.

Jeremy guardó silencio un segundo y luego colgó.

A Jeremy lo volví a ver unas semanas más tarde, el día que me venía a Chile. Camino al aeropuerto dejé en su casa a la Señora Palmer. ¿Dónde más podía dejarla? El departamento de Jeremy era su verdadero hogar, donde había sido más feliz, donde mejor había comido y donde menos frío había pasado.

¿Sabes, Daniela? En esos momentos no imaginaba que alguien podía llegar a importarme hasta el punto de sufrir. ¿Y sabes algo más?, es una sensación devastadora y a la vez dulce. Todo lo demás se desvanece, te olvidas de tu cuerpo, de que tienes hambre o sueño, o deseos. Te vuelves apenas una mano, como la mía que ahora tú tienes atrapada en las tuyas. No me mires con pena. Sí, sí sé, soy yo la que está llorando como una estúpida. No es por Jeremy, eres tú, Daniela. Tú me has obligado a sentirte. Pero en ese entonces no quise sentir, o no sabía cómo hacerlo.

*

La confesión ha subido a la boca de Ana como las burbujas de un estallido submarino. De todas formas, solo los cobardes y los muertos echan raíces, se dice, para espantar la sal que ha dejado la explosión en su boca. Daniela se ha quedado dormida. Es plácido su sueño. Ana mira por la ventana. El mar en soñolienta calma se tiñe de un tono amarillo tenue, luego violeta, para desaparecer silencioso en la oscuridad de la noche.

Cata

Es imprescindible que volvamos a ese día. Al día que llamó Tere. ¿Se acuerda?

Creo haberle comentado que esa misma noche teníamos que ir con Joaquín a uno de esos eventos que organiza Nina. Sí, Nina, otra de mis amigas. Al menos era una ópera en el Teatro Municipal, y no un show de caballitos enanos o una de esas celebraciones de la llegada del otoño con hojas artificiales. Bueno, durante todo el camino no abrí la boca; usted sabe, algo que a mí me cuesta mucho, eso de quedarme callada. Pensaba en ese beso que según Tere se habían dado Joaquín y Ana, y le juro que en lugar de sentir rabia, asco y todas esas cosas, lo que sentía era frío. Un frío que se había colado entre mi piel y mis huesos. Quería pedirle a Joaquín que me abrazara, que me dijera que todo estaba bien, que nada malo podía ocurrirnos. Pero fui incapaz de abrir la boca. No sé, por más que lo intentaba, las palabras se quedaban dentro de mi garganta. Como esos pájaros que se han pasado la vida encerrados en una jaula y cuando alguien les abre la puerta, se dan cuenta de que no saben volar...

¿Por qué se me ocurrió eso de los pájaros? No sé realmente. El asunto es que no sabía cómo comenzar, cómo acercarme a él. Tenía miedo de que si dejaba salir esos pájaros de mi garganta, esos animales torpes y horribles que no sabían volar, Joaquín se desencantaría de mí. Pensé que si le revelaba mi estado de desamparo, de fragilidad, la necesidad que tenía de él, destruiría mi imagen de mujer fuerte.

¿Qué tiene de malo que él piense eso? ¿Nunca se lo he dicho acaso? Revelarle a Joaquín mi fragilidad sería aniquilar a la mujer de quien se enamoró. ¿Me entiende? Joaquín se sentiría estafado. Él cuenta con eso. No soportaría verme como esas mujeres que se pasan la vida deprimidas o en una inercia tal, que hasta sus más mínimas sensaciones les son trascendentales. Lo que Joaquín más admira en mí es mi fortaleza.

Sí, es posible que yo misma haya inventado a esa mujer, parte del envoltorio del cual hablamos el otro día, o quizás otros la inventaron por mí, no tengo la más mínima idea. En todo caso a quién le importa. ¿A usted? Bueno está bien, pero el asunto es que siempre me ha funcionado. Y no quiero hablar de eso. Si me voy por la tangente como el otro día, no voy a llegar nunca a contarle lo que pasó.

Llegamos al teatro en ese silencio horroroso del que le hablaba. Joaquín tampoco había pronunciado palabra. Bueno, en él es algo normal. Si no es estrictamente necesario, Joaquín prefiere no hablar. Siempre está pensando en algo, resolviendo algún problema, qué sé yo. Claro, a veces me siento la mujer invisible, pero he aprendido a aceptarlo, o más bien a soportarlo.

Antes de bajarme del auto, recordé a Tere. Sabía que me encontraría con ella. La imaginé con una de sus sonrisitas, mirándome a los ojos para medir cuán hecha mierda había quedado con su chisme. Esa imagen en lugar de deprimirme y acobardarme, me dio fuerzas. Me miré en el espejo retrovisor y ensayé una expresión de complacencia, o de arrogancia más bien, y luego me tomé del brazo de Joaquín y caminé lo más erguida que me permitieron mis tacos aguja. Fue un desatino lo de los tacos, de seguro caminaba como una avestruz, pero bueno, al menos llevaba la cabeza en alto. Tal como lo había previsto, todas mis amigas se abrazaban y besuqueaban unas a otras frente a las puertas del teatro, y por supuesto entre ellas estaba Tere. Fue en ese instante en que descubrí el odio que le tengo. Tere tuvo el descaro de intentar destruir mi matrimonio. ¿Se da cuenta? Pero yo, Catalina María de los Ángeles, no voy a hacer el ridículo y contarme entre esas decenas de mujeres fracasadas y ávidas de cualquier cosa, con tal de aplacar su patética soledad. No yo.

¿Y sabe? Lo más increíble es que a esas alturas el cuaderno de Ana estaba lejos, en el horizonte de las cosas que no valen la pena, en ese basural donde va a parar todo lo que prefiero borrar de mi cabeza. ¿Y quiere que le diga algo más? Llegado un punto, tuve la certeza de que todo ese asunto del beso había sido una invención de Tere.

Y aunque lo que voy a decir puede parecerle ridículo, estoy segura de que todo esto tiene que ver con que Tere se ha echado varios kilos al cuerpo. Cuando eso ocurre, de pura frustración se apodera de ella un instinto destructivo.

Si lo piensa bien, en el caso en que Joaquín quisiera tener una aventura con Ana o con cualquier otra mujer, no la va a tener frente a los ojos de mis amigas, ¿no le parece? Además, cuando encontré el diario estaba lleno de polvo. Es obvio que Joaquín lo guardó en ese cajón hace tiempo y después lo olvidó. Ni siquiera estaba escondido, cualquiera hubiera podido encontrarlo. Le juro que no sé cómo continuar. Está bien, cómo venga. Adivine quién fue la primera persona que vi cuando entramos al lobby. Gabriel. Sí, el amigo de Daniela, supongo que lo recuerda. Estaba con un hombre canoso, delgado como una caña, que vestía con una elegancia un poquitín rebuscada. Gabriel se llevaba un cigarro a la boca mientras levantaba la mirada hacia mí. Una mirada a lo Kevin Costner que casi me mató. Unas líneas horizontales dibujadas en su frente, le daban a su rostro una fuerza que no había advertido antes. Me miró decidido al mismo tiempo que apagaba el cigarro en un cenicero de pie, y lentamente, sin dejar de conversar con el hombre, se dirigía hacia nosotros. Suena como la escena de una película, ¿no es cierto?

«Pero si es el doctor Nudman. No sabía que estuviera en Chile», oí que decía Joaquín. Disimulando mi sorpresa, le pregunté quién era, y él me dijo que se trataba de un estupendo oculista que había conocido en un congreso en París. Joaquín y el doctor se dieron un abrazo. Al mismo tiempo, sin decir palabra, Gabriel me extendió su mano y deslizó su dedo índice por el interior de la mía suavemente. Un gesto microscópico lo sé, pero que de todas formas me quitó el aliento. El viejo nos contó que no pensaba dejar París, donde vivía hacía cinco años, y que solo estaba en

Chile de visita por unas pocas semanas. Nos presentó a Gabriel como su único hijo hombre, de quien se sentía muy orgulloso porque había diseñado el vestuario de *Otelo*, la ópera que nos aprontábamos a ver. Fue entonces que Gabriel señaló que era amigo de Daniela, y que había sabido de ella por un mensaje de Ana en el contestador de su departamento. Ella misma nos llamó al día siguiente, pero hasta ese día no habíamos tenido noticias suyas, y Joaquín quería saberlo todo. Gabriel nos contó con lujo de detalles los lugares y los miles de inconvenientes con que se habían encontrado en su viaje. Además de saber por fin de mi hija, me enteraba de que Ana estaba lejos, lejísimos de Joaquín cuando yo, hacía un par de horas, había llamado a su hotel. La verdad es que me sentí un poco ridícula. Gracias a Dios me había controlado y no había hecho un escándalo con Joaquín. Pero, ¿sabe?, lo que más me importaba en ese instante, aunque pueda parecerle ridículo, era que Gabriel no hubiera dicho una sola palabra de nuestro encuentro en el departamento de Daniela. El hecho de conocernos y haber compartido esos momentos tan íntimos se volvió un secreto. Un secreto que nos pertenecía solo a él y a mí. Sí, sí, sé, soy una romántica empedernida, pero qué quiere que le haga. Lo que no puede negarme, es que la actitud de Gabriel fue bastante delicada. Yo no le había mencionado a Joaquín mi excursión al departamento de Daniela y me habría dado una vergüenza terrible que se enterara de esa forma. De repente sonó el timbre anunciando el comienzo de la función, y todos empezamos a movernos. Es increíble cómo en esas circunstancias la gente avanza sin despegarse, como si la soledad fuera indicio de una peste. ¿Se ha dado cuenta de eso? Sí, bueno, ese es otro tema.

Antes de separarnos, Joaquín le pidió al doctor Nudman su número de teléfono para invitarlo a comer a nuestra casa con su hijo. Mientras estaban en esto, Gabriel no despegaba sus ojos de mí. Y no es imaginación mía, se lo juro, un par de veces al levantar la vista me encontré con la insistencia de su mirada. Cuando se alejaban, Gabriel se dio vuelta y me sonrió. No sé por qué le cuento estos detalles tan insignificantes, pero no tengo a quién más contárselos. Al nombrarlos, existen, y de alguna forma recupero las sensaciones de ese instante. No sé, es como si alguien me hubiera inyectado a la vena un golpe de calor, de placer. Tiene relación con lo que le contaba la otra vez, ¿se acuerda? Esas ganas que tengo de doblar una esquina y encontrar una sorpresa. Y no significa eso que busque algo grandioso ni desbordante de excitación, lo que quiero decir es que un gesto, un mínimo contacto de un dedo índice sobre la palma de mi mano es suficiente para asombrarme.

Cuando avanzábamos con Joaquín hacia nuestro palco, alguien me tocó el hombro. Era Rodrigo. ¿No le parece increíble? Siempre Santiago me ha parecido un pueblo chico, pero esa noche ya era demasiado. Sí, sé, es un grupo reducido de personas que se mueve en un mismo círculo. Aunque yo diría que Rodrigo no pertenece precisamente a mi círculo. Aunque, bueno, ese también es otro tema. Rodrigo nos presentó a la chica que estaba con él, una compañera de trabajo de la teleserie. Tenía los ojos pintados de un color azul fosforescente, un maquillaje bastante exagerado para mi gusto, y él la llevaba tomada del brazo. Descarado, ¿no encuentra? Y no es asunto de tradicionalismo, es simple respeto. Estoy segura de que ella me miró con curiosidad y un dejo de altivez. Era como si me dijera, «así que esta es la madre de la chica a quien le estoy robando el novio». Cualquiera diría que son imaginaciones mías, pero yo sé que tengo una percepción especial para esas cosas. Por suerte ya no los volví a ver.

Nos fuimos con Joaquín a sentar a nuestro palco y recién en ese momento me di cuenta de que estaba cansadísima. Esas últimas cuatro horas, desde la llamada de Tere, habían sido más intensas que los últimos cuatro meses juntos. Le pedí a Joaquín los binoculares para pasar el rato antes de que empezara la función. En los palcos estaban las mismas ancianas de siempre, de pelo canoso y abundante, las mismas mujeres llenas de joyas junto a sus atildados maridos... Nada nuevo, un puñado opaco y uniforme del cual yo misma formo parte. Es obvio que todos asistimos a esas cosas para mirar y ser mirado. De hecho un par de veces, me encontré con unos binoculares exactos a los míos que me observaban como yo a ellos. Yo no soy tan hipócrita como para negarlo. A la mayoría no le interesa el concierto, ni el ballet, ni la superexposición, ni nada. Esa es la pura y santa verdad. Lo importante es estar ahí, y mientras más pruebas de ese hecho existan, mejor. Por eso las fotos sociales son tan fundamentales. Pero, ¿sabe?, pronto me di cuenta de que esa noche el comercio de miradas me importaba un comino, y a quien buscaba era a Gabriel. Lo busqué de fila en fila. Estaba sentado entre su padre y una joven de rizos oscuros y salvajes. En ese momento se apagaron las luces. No estoy segura, pero creo haber visto los ojos de Gabriel interceptando mi asedio, y de veras, me morí de vergüenza. Y lo peor fue que la presencia de esa chica despampanante me hizo doler el corazón. Qué idiota, si apenas lo conozco. Qué quiere que le haga, eso fue lo que me ocurrió. Con sus miradas y sus gestos, Gabriel me hizo sentir que yo era la única mujer de verdad allí presente. No es necesario que nadie me lo diga. Yo sé que mis visiones románticas están muy lejos de la realidad.

A todo esto, se me olvidaba que en el intermedio me encontré frente a frente con Tere y su marido. Él es uno de esos típicos hombres chilenos que era estupendo de más joven, aunque no resistió el paso de los años. No me mire con esa cara, usted no es el caso, se lo prometo. Había intentado hacerme la lesa, de hecho unos minutos antes, al verla arrimada a la señora McEvans y su esposo, mecenas de arte ella, político él, mirando a lado y lado, para que nadie le arrebatara su posición, di media vuelta, y me alejé lo más rápido que pude de ella. Pero poco rato después, nos volvimos a topar y no me quedó otra alternativa que saludarla. Mientras Tere saludaba a Joaquín, tras su hombro me lanzó una mirada llena de complicidad. Yo no me inmuté. ¿Sabe lo que hice? Creo que se va a sentir orgulloso de mí. Sí sé que no tengo para qué buscar su aprobación, pero no puedo evitarlo.

Me tomé del brazo de Joaquín, desplegué una de mis sonrisas más soberbias y me puse a comentar el primer acto con elocuencia. Algo sé de ópera porque mi padre era un amante de la música y se encargó de que heredáramos, si no su pasión, al menos su cultura musical. Tere no podía ocultar su chasco. Levantaba las cejas y abría los ojos como preguntándome, bueno, ¿y? ¿Todavía no lo mandas a la mierda?

Y aquí viene la mejor parte. No sé de dónde saqué las agallas para inventar tan espléndida mentira. Le dije que Joaquín y yo nos íbamos a fin de este mes de vacaciones, a una isla cuyo nombre yo desconocía. Se trataba de una sorpresa que Joaquín me había preparado para celebrar nuestro aniversario de matrimonio. Le juro que la risa intentaba escapárseme por todas partes, pero la mantuve a raya y logré, creo, ser convincente. Joaquín me miraba con tal expresión de perplejidad, que antes de que todo terminara mal, muy mal, me apresuré a darle un abrazo a Tere y a despedirme de ellos con el característico gesto de nuestro grupo de amigas, levantando la mano como si sostuviéramos un pañuelo, y exhalando con una mirada traviesa un coqueto «chaíto». Después le expliqué a Joaquín que lo había hecho para burlarme del esnobismo de Tere. Él se rió un buen rato de mi ocurrencia y después comentó que no era una mala idea eso de escaparnos a una soleada isla desierta. Es increíble, ¿no? La forma en que se desencadenan los hechos y se mudan campantes de un extremo a otro. Imagínese, había empezado esa noche con un ataque de celos y ahora era invitada, después de meses de la más absoluta indiferencia, a una isla solitaria por mi marido.

Fue cuando salíamos, que nos encontramos nuevamente con Gabriel y su padre. Yo lo felicité por el diseño del vestuario, que era de verdad espectacular. Entonces, él ofreció mostrarme cuando yo quisiera los talleres de costura del teatro. Me sorprendió la forma desenvuelta con que hacía la proposición frente a Joaquín y a su padre, pero por otro lado no significaba gran cosa lo que me estaba ofreciendo, fue más bien la expresión implorante de sus ojos la que me turbó.

No solo volvía a tener la certeza de que ese beso de Joaquín y Ana era una invención de Tere, sino que, además, los últimos eventos de la noche me devolvían de pronto la fuerza y la seguridad que creía perdida.

Ana

El cansancio se ha vuelto una bruma que le nubla los ojos y las emociones. El cansancio de la espera, de la inmovilidad, de la atención continua a signos tan vagos como una sonrisa o un tenue color en las mejillas de Daniela. Al menos ya le sacaron la venda de la cabeza, y después de que ella le lavó el pelo, este volvió a brillar con sus destellos cobrizos. El doctor dice que ve notables mejorías en su estado físico. Las perforaciones del esófago y la garganta han comenzado a cicatrizar, aunque aún requiere ser alimentada en forma artificial.

Ana en tanto no sabe cuánto tiempo más es capaz de resistirlo. Por ratos siente el impulso de llevar a cabo ese mínimo gesto que implica llamar a Joaquín, pero Daniela, en una de sus conversaciones con la terapeuta, volvió a insistir que no estaba preparada para enfrentar a sus padres.

En el camino hacia la casa del hada, Ana se ha detenido en el bar, aquel donde entraron con Daniela la primera noche. Siente un leve estremecimiento; fue allí donde se desataron los eventos que ahora la tienen atrapada en este puerto. Se sienta en una mesa alejada del bullicio y pide una cerveza. Un grupo de músicos con aires folclóricos rasguea sus guitarras en el escenario, poniéndose a tono, tarareando una melodía sin realmente iniciarla. A lo lejos, Ana divisa a los ingleses que conoció aquella noche. Si ellos no se hubieran cruzado en su camino, piensa, es posible que nada de esto hubiera ocurrido. Esa noche habría seguido su curso (ambas con Daniela divirtiéndose hasta la madrugada), y estaría hace rato de vuelta en Londres. El encuentro con ellos alteró el curso de su viaje, de la misma forma en que la aparición del fotógrafo de excrementos alteró su relación con Jeremy. No obstante, está consciente de que sería liviano de su parte culpar a esos azarosos encuentros del rumbo que ha tomado su vida. «Azar y necesidad», recuerda Ana nuevamente. No es el azar, es su necesidad imperiosa de algo más. Una inquietud que la impulsa a la cacería de un fugaz soplo de vida, aunque para lograrlo esté destinada a perder una parte de sí misma. Insignificante a veces, valiosa otras.

No, no está de ánimo para iniciar una charla con los ingleses. Las cosas definitivamente no están marchando bien. Por la mañana recibió un e-mail de Aaron, su agente, informándole que había tenido que anular todos sus compromisos y asignárselos a otros fotógrafos. También le sugería de manera solapada, galante incluso, que se buscara otro agente que soportara mejor sus niñerías. Terminaba su nota con un: «Lo siento, querida, pero la vida no espera a nadie». Filosofía barata, propia de su origen pequeño burgués con pretensiones de grandilocuencia, piensa. A pesar de eso, a pesar de considerarlo un perfecto imbécil, las palabras de Aaron penetran por ese orificio de su conciencia que ha permanecido abierto y por donde se cuelan los afanes de fuga, y por donde ahora se filtra la duda. Es posible que el vanidoso de Aaron esté en lo correcto, y respetar los deseos de Daniela sea al fin y al cabo una absoluta idiotez. Le está nada menos que costando su carrera.

Si bien sabe perfectamente que pedirle un consejo desinteresado a un ex novio es un acto de absoluta ingenuidad, está segura de que Jeremy tendría una respuesta. ¿Por qué no? Se pregunta de pronto. Como sea, no tiene nada que perder, y conociendo la naturaleza caballerosa de Jeremy, lo más probable es que deje a un lado su encono y le diga sinceramente lo que piensa.

Sin pensarlo más, se acerca a la barra y le pide el teléfono a la mujer de pulseras tintineantes que las recibió con Daniela el primer día. La música andina ha empezado a emerger del escenario. En ese lugar bullicioso y atiborrado de gente, se siente capaz de llamar a Jeremy, porque en la soledad de su pieza la asaltan las dudas y el miedo de no saber qué decirle, de no hallar el tono justo para hablarle.

Después de escuchar las vagas explicaciones de Ana, que dejan entrever algún asunto sentimental, la mujer marca el número de la operadora y pide una llamada de cobro revertido, con una radiante sonrisa de madre tierra.

En unos segundos, la voz de Jeremy alcanza a Ana. Cruzados en su garganta están los miles de kilómetros de mar que los separan y que se inician allí mismo en el puerto, y se extienden hasta la isla donde Jeremy con cierta impaciencia ante su silencio, pregunta una y otra vez quién le habla.

—Hola —dice Ana por fin, y su voz se eriza como un alambre de púa—. Quería saber cómo está la Señora Palmer —mientras habla separa el auricular de su oído de modo que Jeremy escuche el ajetreo que se desenvuelve a sus espaldas. Tiene sí la suficiente lucidez para darse cuenta de la puerilidad de su gesto. Como si a Jeremy le importara, como si estar sola no fuera al fin y al cabo una muestra mayor de individualidad y de entereza, en lugar de esa llamada pública, que entre el ruido y la mirada atenta de la mujer tintineante, no tiene ningún destino.

—Está muy bien. Tengo que viajar a París, le pedí a Elinor que se la llevara por unos días. Debería estar aquí en un rato.

Ana cree escuchar en el trasfondo una voz femenina, aunque bien podría tratarse de un sonido musical. De todas formas su cuerpo se tensa.

—¿Y tú cómo estás? —pregunta Jeremy.

Su pregunta abre la pequeña brecha que necesita para lanzarse, lo sabe, es ahora o nunca.

—Bueno... —dice, y la tensión en el cuerpo hace que las palabras se detengan en el borde de su boca. Intenta seguir.

—Se te oye muy bien —escucha decir a Jeremy con una voz fría y apurada.

—¿Te vas yendo? —pregunta entonces Ana, consciente ya, que será incapaz de hablar.

—Sí, la verdad es que estaba empacando cuando tú me llamaste —replica Jeremy con una evidente impaciencia que termina por desarmar a Ana. Un largo silencio se apodera de la línea.

—No te olvides de explicarle a Elinor las costumbres de la Señora Palmer, tú sabes, lo de la tele y la leche tibia —dice Ana finalmente.

—No te preocupes, sé cuidar de tu gata

mejor que nadie —replica Jeremy en un tono seco, cortando en forma definitiva la conversación. No le ha preguntado por qué aún no ha retornado, dado que su viaje duraba apenas una semana. Pero ella tampoco va a explicárselo. Ya no tiene la energía para hablar ni menos para lanzarse a confesar las dudas que la apremian.

La mujer a su lado hace sonar sus pulseras con una mirada desilusionada. Es evidente que el diálogo amoroso que ella aguardaba nunca se llevó a cabo.

Ana no sabe qué diablos pretende al dejarse llevar por esos impulsos. Está claro que Jeremy no experimentó ninguna emoción particular al escucharla. Por el contrario, parecía indiferente ante su llamada, y le habló con ese tono monocorde y una pizca pedagógico, que le confiere a los extraños.

Después de esa llamada sin sentido todo comienza a ahogarla, la música, la gente, el humo y su propia desazón. Solo el recuerdo de Daniela la alienta. Esa tarde llamaron juntas a Cata desde la clínica. Daniela fue escueta, pero su voz sonaba firme e incluso animada. En un momento, Daniela tomó su mano mientras hablaba con su madre. Fue un gesto que la llenó de emoción. Es extraño, lo único que quiere es volver allí. Seguramente, ella ya duerme, pero quiere verla en ese sueño de niña y tenderse a su lado para sentir el calor de su vida.

Y mientras camina con paso rápido y decidido hacia la clínica recuerda que, según Jeremy, su pelo y el pelaje de la Señora Palmer tienen el mismo tono rojizo. ¿Lo recordará él también?

Cata

El doctor Nudman y Gabriel fueron a comer a la casa el jueves. No piense mal. No sucedió nada. Bueno, nada en apariencia. Pero yo me moría, le juro, y revivía, y volvía a morir con cada gesto, con cada mirada de Gabriel. Llegaron a las nueve en punto. Yo recién terminaba de vestirme después de haberme probado casi todo mi clóset, que, como usted se puede imaginar, no es nada despreciable. ¿Sabe? Cuando me miré en el espejo por última vez antes de bajar, tenía una expresión extraña, no sé, era una expresión de temor y también de esperanza.

¿A qué le temía? Muy simple, a caer en cualquier instante fulminada por la histeria. Es que en esa gran bola donde estaba contenido mi futuro, jamás imaginé tener como invitado a mi mesa, a mi paraíso inmaculado, a un pendejo, porque Gabriel no es más que eso, un pendejo, que me hace temblequear las rodillas, pero que también me colma de una extraña esperanza a la cual no puedo siquiera ponerle nombre.

Usted se da cuenta de que toda la situación era descabellada, inimaginable para Joaquín y para el doctor Nudman. Y creo que fue justamente por eso que todo ocurrió frente a los ojos de ellos sin levantar sospechas; las miradas, las caricias furtivas de Gabriel cuando yo le pasaba el *roast-beef*, el postre, el café, o cuando él deslizó el asiento para que me levantara, y luego ese gesto suyo, vertiginoso, de apartar el flequillo de mi cara acariciando al pasar mi mejilla.

Sentí que la que estaba ahí, ante Gabriel, no era yo misma. ¿Sabe? Yo me veía, y veía todo lo que ocurría con una distancia increíble, y percibía cosas que creo antes no había percibido. No sé, supongo que todo, mi mesa dispuesta con un gusto exquisito, la luz no demasiado tenue ni muy fuerte, Joaquín impecable, moviendo las manos y lanzando esas bromas que bordean lo vulgar sin nunca llegar a serlo, sus gestos que como los míos están llenos de costumbres, como ese ademán de sacarse continuamente el pelo de la frente, y que sin duda le da un aire sofisticado, o el ceño arrugado, o esa forma que tiene de asentir a cualquier cosa con una expresión cansada. Y claro, todo me era familiar, no puedo negarlo, era mi marido, era mi casa, era la comida que yo misma había preparado con esmero, pero nada tenía consistencia, había sido armado para funcionar y para ser visto. No sé cómo explicárselo, era como si de pronto hubiera visto las cosas a través de una radiografía y me hubiera dado cuenta de que nada tenía alma, de que todo adentro estaba vacío.

¡Ajá! Está impresionado. Lo leo en su cara, aunque intente ocultarlo. Pues yo también estoy impactada por lo que acabo de decirle.

Pero ese no es ni el principio. Cuando venía a su consulta me preguntaba si tendría el descaro suficiente para contarle mi sueño. Parte de la inquietud, de la expectación que siento, tiene que ver con ese sueño.

No sé si pueda contárselo... De veras. ¿Usted cree que es importante?

Al menos no me mire mientras hablo. Mire por la ventana o al techo, qué sé yo.

Nunca antes había tenido un sueño erótico. Siempre me ha bastado con una suerte de abstracción amatoria. Lo más que he llegado a imaginar es uno de esos encuentros clandestinos en un hotel parejero: unas cuantas embestidas, un par de cigarrillos, una conversación insignificante, la pasada por el jacuzzi y punto. Una secuencia que de todas formas nunca me llamó la atención. ¿Sabe? Es como si toda mi educación católica, apostólica y romana, poco a poco, a lo largo de mi vida, hubiese cimentado un corcho en el boquete por donde hubiera debido fluir mi imaginación. Muy conveniente. Pero lo increíble es que ante un levísimo estímulo, el corcho voló lejos. No se crea que es tan fácil asumir que de pronto mi cabeza está atiborrada de pensamientos e imágenes exóticas... ¡Está bien!, eróticas. Y lo curioso es que siempre presentí que algo así ocurriría, no sé, que en un descuido, mi inconsciente me tomaría por asalto. Mal que mal el pobrecito se ha pasado la vida subyugado a mi disciplina. Recuerdo que de adolescente cuando iba a una fiesta, me quedaba apostada contra una pared para que nadie me viera; me paralizaba el terror de que alguien me tomara por la cintura, me sacara a bailar y yo incapaz de detenerme, me lanzara a una danza desenfrenada, exponiéndome a la más vergonzosa de las exhibiciones.

...Hace ocho meses. ¿Por qué me lo pregunta? Sí, sí sé que es algo importante, pero no habíamos hablado de mi vida sexual. Para que sepa hay miles de cosas que usted aún no sabe de mí. Miles...

...Es mucho tiempo sin hacer el amor, pero por favor, llevamos veintidós años casados. Es inevitable que la pasión se desgaste. Y supongo que como todas las parejas que sobreviven tantos años, hemos sustituido la pasión por nuestros proyectos, nuestros logros en común, una fina e infinita red de vivencias que nos unen y que le dan sentido a nuestra vida.

...Sí, suena bonito, de eso se trata, que suene bonito. Pero no quiero hablar de eso. Soñé con Gabriel, es obvio, ¿no?

Recuerdo su voz por el teléfono diciéndome que es incapaz de dormirse, que tome mi auto y lo espere en una esquina. Recuerdo todas esas palabras de la misma forma que las recordaría si verdaderamente las hubiera dicho. Luego estoy en mi auto. Gabriel se precipita sobre mí, pronto ha introducido sus dedos entre mi piel y mis calzones y los desliza suavemente hacia abajo. Hasta alcanzarme. Estoy inmovilizada por sus dedos que se mueven con una maestría sublime. Al mirar por la ventana veo ante mis ojos, imponente en su nueva iluminación nocturna, la iglesia de Nuestra Señora de los Ángeles Custodios. Eso es lo que vi en mi sueño, la iglesia donde me casé, donde bauticé a mis hijos y donde enterramos al abuelo. Claro que me da risa y un poco de miedo, no se crea. Me da escalofríos solo imaginar la cara que pondría el padre José Antonio si le contara esto.

Pero el asunto es que nunca, nunca imaginé el deseo subiendo por mis piernas hasta rajarme.

En mi sueño el cuerpo de Gabriel me mareaba, me colmaba, me reventaba. Sus manos eran tan hábiles que parecían haber nacido para tocarme, para electrizar cada uno de mis sentidos a su tacto. Me miraba embobado, con una mirada que yo en el sueño no podía entender, pero que aceptaba como un regalo. Sí, como un milagro que me mandaba la Santísima Virgen en el instante preciso, cuando estaba a punto de ahogarme en estos días iguales que se suceden unos a otros, grises, opacos, y que ni las sonrisas de mis hijos logran despejar. Aunque mi lado más lúcido y cuerdo me dice día tras día que así es la vida, que Joaquín es un buen hombre y la falta de pasión no importa, es parte del juego, la consecuencia inevitable del paso de los años, y pretender otra cosa, es ser uno más de aquellos inconformistas que nunca maduran, que dilatan su juventud hasta el punto de quebrarse ellos mismos y volverse los seres más ridículos del mundo. Conozco un montón de esos. Son patéticos.

Sí, ya sé que le he dicho esto miles de veces, lo que pasa es que pensar así me hace sentir bien, adecuada, segura. Es cierto que a veces algo dentro de mí se triza, no se rompe, solo se triza, y todas mis convicciones, en lugar de sostenerme, me ahogan.

¿En qué circunstancias? Bueno, puede ser cualquiera; por ejemplo, cuando me fumo un cigarro y miro mi jardín, o cuando veo una de esas películas románticas, donde una mujer rompe los hilos que sostienen su cordura y se deja llevar por un hombre de ojos azules y espaldas anchas en un Bugatti esmeralda descapotable.

Me estoy contradiciendo y mezclando las cosas, lo sé.

En mi sueño, yo extendía el cuerpo y levantaba los pechos que estaban duros y dejaba caer la cabeza hacia atrás, así..., aunque curvando la espalda. Eso no se lo puedo mostrar. Cuando se lo cuento, veo mi cuerpo, es el mío, pero es también otro.

Él me besaba presionando mis pezones y me recorría palmo a palmo con el deseo y la conmoción de alguien que no ha tocado otro cuerpo por años. Estábamos dentro del agua. Debe ser por esas fantasías del jacuzzi que llegué al agua. Dios. No sé cómo he sido capaz de contarle todo esto.

¿De verdad usted cree que es un paso importante?

Después estábamos en el departamento de Daniela, en un sofá, y era yo quien conducía a Gabriel en sus caricias, en sus movimientos, en la intensidad de su presión sobre mí, mientras él murmuraba que no se había equivocado, que desde el primer día al verme en el departamento de Daniela, había intuido esa ferocidad provocadora asomándose en mis labios, esa sensualidad escasa entre las mujeres, para qué decir entre sus amigas, que se desvisten como si estuvieran en su casa mirando televisión o lavándose los dientes, y usan calcetines ni cortos ni largos en lugar de medias, y luego se tienden en la cama mirando el techo, diligentes ante la gestión final, un embate rápido y un cigarro, para después salir corriendo al encuentro de sus amigos en algún bar de moda, donde aparecen todas descuajeringadas y con la misma cara de aburrimiento de quien viene de la casa de su abuelita.

...No, ese manifiesto, como usted lo llama, no es parte del sueño, es lo que yo me imagino. Todo es lo mismo, ¿no se da cuenta? El sueño, mis deseos, las ideas que se me ocurren después de haberlo soñado, porque ya le dije, ese sueño está vivo en mi cuerpo. A la mañana siguiente incluso me miré en el espejo en busca de algún rastro físico de lo que había sentido, porque la cosquilla que recorría mi espalda al recordarlo era real, tan real como usted y yo ahora en esta pieza y esas hilachas de nubes que cruzan la ventana. ¿Las ve?

Ya sé que no va a decirme lo que piensa. Lo que es yo, pienso que es una locura. Una total y absoluta locura. Gabriel es amigo de Daniela. Un muy buen amigo según sus propias palabras. Y es absolutamente descabellado, por decir lo menos, que una madre tenga sueños eróticos con los amigos de su hija.

Le juro que nunca había tenido un orgasmo como en ese sueño. Nunca. Me asusta, por supuesto que me asusta. ¿Recuerda ese miedo que sentía en las fiestas, de no poder controlar mis impulsos si alguien me sacaba a bailar? Bueno, todo esto es como si Gabriel me hubiera empujado fuera de mi rincón y hecho rodar por la pista de baile.

Me he pasado la semana habitada por esa tibia alucinación que me asalta en los momentos menos pensados, y me hace reír sin razón aparente, y me envuelve por la noche antes de dormirme y luego por la mañana me levanta llena de una expectación que parece fuera a salírseme por la boca en forma de globos y serpentinas y botellas de champaña y noches estrelladas. Un atado de cursilerías, lo sé, pero qué importa, solo yo y usted las sabemos. Mis movimientos tienen ahora una suerte de sensualidad, de cadencia, y no puedo evitar hacer todo en función de eso. Me visto, me maquillo, me levanto, camino, pensando que en algún lugar él me está observando.

¿Usted lo nota? Ahora mismo que hablo con usted, es eso lo que me permite decirle las cosas con este desparpajo desacostumbrado, nombrar palabras, como «orgasmo», por ejemplo, sin sonrojarme.

Cuando Gabriel se despidió de mí en la comida, me dio un beso en la mejilla y acercó sus caderas a las mías hasta tocar mi estómago, hasta hacerme sentir la consistencia sólida de su cuerpo. Fue tanto el tiempo que se quedó allí, presionando, que temí por un momento que Joaquín lo notara. Esto no es parte del sueño, sucedió. Sí, por supuesto que estoy segura, aunque no sé, tal vez no tiene nada de raro y los tipos jóvenes como él acostumbran a hacer esas cosas.

...Sí, también he pensado en eso: Ana, su diario y Gabriel todo al mismo tiempo. Si no hubiera sido por la inquietud que me produjo la intimidad de Ana con Daniela, nunca habría llegado a su departamento y nunca me habría topado con Gabriel. Sí, es probable que Ana con su diario y su presencia, tenga mucho que ver con todo esto... al menos con mi sueño. Fue en su diario donde encontré todas esas palabras...

Pero no me haga más preguntas, no he terminado de contarle lo que ocurrió esta semana. Gabriel me sigue los pasos. En serio. ¿Si no cómo explicar que nos hayamos encontrado el sábado en la mañana en una tienda de géneros italianos? Es cierto que él trabaja haciendo vestuarios, y es cierto también que esa tienda trae las telas más exquisitas y originales que se pueden encontrar en Santiago. Pero de todas formas debo confesarle que lo encuentro raro. Cuando yo entré a la tienda él ya estaba ahí, miraba hacia la puerta de entrada y su rostro se iluminó al verme. Yo pasaba a buscar con mi hijo Francisco unos géneros que había encargado en la semana. A duras penas logré reprimir las ganas de dar media vuelta e irme; él era el personaje principal del único sueño erótico de mi vida. Pero con toda mi compostura y mis buenas maneras, lo saludé afablemente, y él a su vez se disculpó por no haber llamado al día siguiente para agradecerme la comida.

Fue tan intempestivo que me sonrojé. No, no fueron sus disculpas, me sonrojé porque Gabriel me dijo que quería verme. Quería hablar conmigo de algo que era importante para él y también para mí. ¿Se da cuenta? Me puse tan nerviosa, que le dije que estaba muy ocupada con mi tienda, y que tenía un sinfín de compromisos en las semanas siguientes. Entonces él sacó un papel de su bolsillo y anotó el número de su celular. Me dijo que cuando tuviera un momento lo llamara. Que me estaría esperando. Después dio media vuelta y se fue sin comprar absolutamente nada. ¿No le parece obvio que nuestro encuentro no fue casual?

Daniela

Hoy volvemos a Santiago. Fui yo misma quien lo decidió. Me desperté hace un par de días sabiendo que ya estaba preparada para volver. Fue una sorpresa para Ana y también para Paula, pero era tal mi convicción, que al cabo de un rato ambas estuvieron de acuerdo. Ana no daba más de felicidad. Creo que por primera vez desde que me enfermé volví a ver su rostro iluminado. Incluso salimos a la escalera y nos fumamos un cigarro juntas y reímos, con una risa nerviosa, imaginando la expresión de mis padres cuando supieran lo que realmente ocurrió. Ana ha hecho todos los preparativos.

La tarde anterior a mi resolución, Ana me contó que Pedro Meneses, el poeta que veníamos a fotografiar, se suicidó el mismo día que nosotras llegamos al puerto. El día que yo caí en la calle, el día que también pude haber muerto. Mientras miraba las fotos que Ana le tomó esa tarde en la plaza, sin saber quién era, un temblor recorrió mi cuerpo. Todo allí hablaba de muerte, su espalda encogida en la banqueta, su traje de una elegancia antigua y desvencijada, sus cejas negras como nubes de tormenta oscureciendo sus ojos, el ramaje erizado de los árboles rajando el cielo. Mientras tanto, en un quiosco, yo preguntaba por la ruta a su casa, inconsciente de él, de Ana incluso, que lo atrapaba en su lente, Pedro Meneses trazaba con sus inmensos zapatos su sino de muerte. Sentí que el destino del poeta y el mío estaban unidos por un tenebroso hilo del cual habíamos pendido codo a codo, sin saberlo, y mientras él había caído, yo, aunque precariamente, aún colgaba. Había sobrevivido. Una súbita euforia colmó mi corazón, por ese simple y definitorio hecho, por esos raperos que según me contaron en el hospital, me salvaron de otras bandas que rondaban el lugar y que bien hubieran podido violarme, abandonarme o matarme en ese rincón oscuro donde ellos me encontraron.

Ana por su parte, cuando me enseñaba las fotos del poeta, no pudo ocultar un dejo de impaciencia. Aunque ella no me ha dicho nada, yo sé que por mi culpa su trabajo se ha ido al tacho de basura. Debí haberme ensombrecido porque rápidamente, Ana hizo una de sus piruetas, uno de esos pasitos de baile que despliega para divertirme y que parecen una marcha hacia un momento feliz. Jamás hubiera imaginado que esa mujer que yo admiraba en la fotografía de mi abuela, con las mil promesas que desencadenaba su risa, pasaría días sentada en el borde de mi cama o haciendo cabriolas para animarme.

Paula vino a despedirse y me trajo un regalo: es un cuaderno verde loro. Dice que puedo escribir allí cuando me den ganas de comer demasiado. Ha dicho «demasiado». No ha nombrado la palabra «atracón». Ella misma se contactó con una terapeuta en Santiago, dice que es tan cálida que parece tener el sol adentro, que me va a gustar. Noto preocupación en su rostro. Yo también tengo miedo. Esta cama y esta pieza son parte de mí como imagino debe ser su caparazón para un caracol. Cuando entré a este lugar venía desnuda y ahora tengo esta ventana por donde se cuela el aire marino, y diviso cada tarde la puesta del sol, me acompañan los ruidos de la calle, el silbato de los barcos que arriban o se marchan, las conversaciones con Paula, y a Ana, que me ayuda cada día a saltar el cerco de púas de la noche y alcanzar la mañana.

Ana ha mantenido a mi padre y a Rodrigo informados de nuestro extenso viaje ficticio por la costa central en busca de personajes para sus fotos. Hemos andado en Las Cruces, en San Antonio, en Cartegena, en Isla Negra... Ana ha mentido descaradamente por mí.

Le pedí a Ana que no le avisara a Rodrigo de nuestro regreso. Quiero darle una sorpresa, aunque en realidad no sé qué tipo de sorpresa puedo darle. Supongo que tendré que revelarle la farsa de Yocasta, y advertirle que con el tratamiento lo más probable es que suba de peso. Lo echo de menos. Echo de menos su risa, sus cuentos, sus caricias. Le diré todo y haré que a pesar de ello me quiera. Tiene que ser posible.

Sobre una silla está mi ropa, mis jeans y la chaqueta de cuero de Rodrigo. Ana vendrá a buscarme en media hora. Estoy sentada en la cama, me he puesto los calzones, la polera y los calcetines, pero no tengo agallas para calzarme los jeans. Estoy segura de que he subido de peso. Tuve que comer frente a los ojos vigilantes de Ana o de las múltiples enfermeras bigotudas. En una oportunidad, aprovechando que Ana pasaba la noche en casa del hadabienvivida, corrí por el pasillo descalza, cien veces, para quemar las calorías que sabía me estaban desfigurando. Desde esa noche no me dejaron un segundo en soledad. Solo pude vomitar una vez; cuando la carcelera de turno fue llamada de urgencia de otra pieza, me levanté y no paré de vomitar hasta que sentí que la piel de mi estómago volvía a su lugar de origen: pegada a mi espalda. Por culpa de ellos ahora me siento un vacuno. Cierro los ojos y me embuto los pantalones. La textura gruesa de la tela hiere mi piel. No es necesario que me mire para saber que esos centímetros de holgura que antes hacían que los pantalones flotaran en mis caderas han desaparecido. Me siento como una prieta. No puedo seguir como antes, lo sé, pero tampoco creo en otro camino. Es insoportable ver mi carne ocultando mis huesos, es lo mismo que morir. Oigo un quejido que emerge de mi garganta y crece como un torrente. Quiero cobijarme en mi castillo, en su aura soleada, en su nido de luz...

Ana, columpiando un juego de llaves en la mano, ha entrado a la pieza. Al verme se abalanza sobre mí y me abraza.

—¿Qué ocurre? —escucho que me dice desde la distancia de su claridad.

Mis pantalones están aún sin abrochar. Me toma de los hombros y me levanta; mis rodillas están débiles, siento que en cualquier instante puedo caer. Despacio me quita la polera y los jeans; también los calzones y el sostén. Ha empezado a mirarme de otra manera, como si dentro de sus ojos hubiera encendido dos luces muy suaves. No entiendo qué hace, sus manos rozan mi piel erizándola. Con sus dedos blancos y largos saca de mi rostro los cabellos que se han adherido por las lágrimas y los ordena en una improvisada cola de caballo. Sin quitarme los ojos de encima, se desviste. Ana está desnuda frente a mí, su expresión es tan intensa que tengo la sensación de que es su mirada la que me sostiene de pie.

Me toma de la cintura y me invita a moverme; mi cuerpo emancipado se ha puesto a temblar. Ana me guía hasta el baño y enciende la luz, una luz blanca que me recuerda la luminosidad hiriente del McDonald's; cierro los ojos, aunque Ana me obliga a abrirlos. Estoy frente a un espejo, intento esbozar una sonrisa ufana, echando la cabeza hacia atrás para resaltar mi largo cuello, pero mi boca se convierte en una línea alongada de dolor. No sé si lo que veo soy yo misma. Al lado de Ana mi cuerpo asemeja la carne abandonada de un muerto. Mis pechos cuelgan como dos bolsas vacías. Ana me abraza y acaricia mi cabeza que ha caído en su hombro.

—Estás enferma, Daniela, y te vas a curar.

No puedo evitarlo, me he aferrado al cuerpo de Ana al igual que un gato al canto de un tejado. Sus caricias son suaves, no contienen urgencia, solo una infinita calma, un susurro musical. Caminamos juntas hacia la pieza. Sin soltarme, Ana abre las cortinas y la ventana de par en par. Es como si ella sigilosa, se hubiera asomado a mi agujero y me hubiera jalado de los brazos y una vez afuera, intentara empaparme de la luz poderosa de la mañana, una luz purísima hecha para personas felices como ella.

Nos vestimos en silencio. Ha llegado la

hora de irnos. La alegría de Ana es contagiosa, mueve su pelo de lado a lado en una danza solo perceptible para ojos atentos como los míos. Creo que ha hablado largo rato con Paula porque al despedirse intercambian miradas llenas de ocultos significados. Es molesto, pero he aprendido que cualquier cosa que ellas digan o hagan es por mi bien. Es la única certeza que flamea solitaria en el mar de vacilaciones donde navego.

*

Al parecer, he dormido la mayor parte del camino. Ahora surcamos el parque Forestal. Ana me recibe con una amplia sonrisa.

Estacionamos el auto en la calle Merced y caminamos rumbo a mi departamento. Invito a Ana a tomarse un café de grano, de las pocas cosas que siempre guardo en mi escuálida despensa. Cuando pasamos frente al Bombón Oriental, Ana me empuja adentro, ya que quiere comprar dulces árabes para acompañar el café, de aquellos que están henchidos de miel y nueces. Mientras los elige simula ignorar mi existencia.

—Quiero este, este y este. ¡Ah! y ese alargadito me encanta... —la oigo exclamar con genuino placer.

Abandonamos la pastelería. Ana con un gigantesco paquete en los brazos y yo con un arsenal de chicles en el bolsillo. Antes de alcanzar la siguiente cuadra, ella se va comiendo un pastel por la calle; la miel escurre entre sus dedos y con una sonrisa picarona se los lame para no desperdiciar ni una sola gota de goce. En parte por no mirarla y en parte porque me preocupa, me pregunto si Rodrigo se habrá acordado de regar las plantas y dejarle las instrucciones a la mujer que nos viene a limpiar. El cielo está limpio. Debe ser esta brisa, que levanta las hojas de la calle y revuelve el cabello de Ana, la que espanta las nubes de polución. Imagino que es un buen presagio; no por nada los asuntos del cielo, como este airecillo benevolente, son de dominio divino.

No hemos hablado de su partida. La sola idea pesa sobre mi cabeza como una guillotina. A medida que nos acercamos, apuro el paso y Ana se toma de mi brazo. Frente a la plaza del Mulato Gil compro un ramo de flores; lo imagino en mi único florero, contra la ventana de la pieza. Estamos por fin frente a la puerta de mi edificio. Tengo la impresión de haber salido hace un siglo de aquí. Incluso los árboles me parecen más altos, la acera más limpia, el acceso menos sucio de lo habitual. Es mi hogar. Y me produce alegría regresar.

Don Luis, el conserje, mira la diminuta televisión que guarda bajo un desgastado escritorio. Me saluda como de costumbre, con un vago gesto de la mano, inclinando la cabeza en un intento de mirarme el trasero. A mí me dan ganas de abrazarlo, aunque desisto rápidamente. El ascensor como siempre no funciona; hoy debe ser martes o miércoles, o jueves, los días de la «mantención», entre comillas, porque nunca he visto a nadie acercarse a él con el propósito de arreglarlo. Todo sigue igual. Al subir nos topamos con Manivela, una gata de pelaje plomo, meando en su rincón usual de la escalera. Su dueña, una vieja calva, jamás la saca al parque. Ana dice que mi edificio le recuerda esos inmuebles parisinos que contienen eternas escaleras y nutridas historias.

—¿Historias? —le pregunto mientras saco la llave de mi bolso—. Aunque parezca increíble, aquí nunca pasa nada.

Huele a canela. A canela y a limón. Todo está limpio, y el único florero de la casa ya está rebosado de alstromerias. A través del vidrio trasparente se ven las burbujas de agua, diminutas y parejas, adheridas a los tallos. Da la impresión de que alguien en secreto hubiera anunciado mi llegada. Preparo café. Las tazas están casi todas rotas, pero logro rescatar un par con sus respectivos platillos.

—Esto es casi una tienda de muebles en comparación a mi departamento —comenta Ana y ambas reímos.

En un momento dado, Ana se acuerda de mi cita al día siguiente con la sicóloga que recomendó Paula. Insiste en que es imprescindible que vaya. Se ofrece incluso a pasarme a buscar. En el aire, como lanzas invisibles, arremeten un sinfín de preguntas que ninguna de las dos tiene las agallas de traer a tierra.

Oigo abrirse la puerta principal. El corazón me salta de un brinco, aunque si soy sincera hasta este minuto no he pensado en Rodrigo. Su inminente presencia me trae a la memoria de un vuelco la angustia que sentí tantas veces en esta misma pieza, bajo la luz esquiva de esta misma ventana. Rodrigo me recuerda de pronto mi triste y mentirosa existencia. Más de una risa me llega desde la puerta. Cuando aparecen en el pasillo, advierto que ambos llevan un casco; serían idénticos si el que lleva ella no tuviera un autoadhesivo en forma de flor en un costado. Rodrigo tiene una de sus manos pegada a las nalgas de ella, con la otra, cuelga sus llaves de un ángel de yeso que él mismo clavó en la pared para ese efecto. Un detalle que siempre me ha molestado por hallarlo vulgar, y que él usa para señalarme mis ineludibles raíces burguesas. Ella extiende su cuello y besa furtivamente el de Rodrigo. Él alza los ojos. Nos ha visto.

—¡Mierda! —exclama y se libera de la chica de un empujón.

—No sabía... —balbucea mientras se peina su corto pelo azabache con los dedos, primero hacia delante y luego hacia atrás. Yo escupo mi chicle de medio lado. La goma rosada va a parar en una carpeta de Rodrigo que está sobre la mesa. No puedo evitar una sonrisa sarcástica. La chica gira en redondo y escapa de la sala; no sé adónde pueda dirigirse, si enfila hacia nuestro cuarto, significa que le es familiar. Pero no la sigo a ella. No quiero perderme una partícula de Rodrigo. En lugar de dolor, siento curiosidad, o quizás el dolor, es tan grande que no cabe dentro de mi cuerpo y ha tenido que quedarse afuera. No sé. Echo un vistazo hacia el lado, donde Ana se ha quedado con la taza de café entre los dedos como si una ráfaga de frío la hubiera de pronto congelado y transformado en una estatua de hielo.

—No podías saber —digo con una calma que ni yo misma reconozco—. Quería darte una sorpresa.

—Y me la has dado —intenta sonreír Rodrigo, pero ante la impavidez de mi mirada, su sonrisa se empaña hasta desvanecerse—. No sé qué decir. —Rodrigo mueve su cuerpo como un equilibrista novato que intenta atravesar una cuerda a mil metros de altura.

—Yo tampoco.

De pronto, Ana se ha descongelado y me mira con esos mismos ojos que me mantuvieron de pie esta mañana. Pareciera que va a decir algo, pero yo la detengo con un gesto de la mano.

Tras mirar de reojo a Ana una y otra vez, como intentando medir el peso de su presencia, Rodrigo dice:

—Es una pura calentura, Dani, te juro que no tiene la más puta importancia —se frota la cara enérgicamente con las manos hasta enrojecerla—. Yo te quiero a ti, tú lo sabes...

No, no sabía que Rodrigo, mi pareja, se andaba tirando a cuanta colegiala encontraba por la calle. Hay desesperación en su voz, debo reconocerlo, y como aquella primera vez en la puerta de la casa de mis padres, sé que es genuina.

Se acuclilla en el suelo frente a mí y se toma la cabeza con las manos, repitiendo:

—Yo te quiero, Dani, y tú lo sabes... la cagué. ¿No es cierto? Qué pregunta más imbécil, yo mismo te doy la respuesta: la cagué y no tengo excusas, no hay excusas. No sé, lo único que puedo decirte es que tirarme una minita estúpida como esta para alimentar mi vanidad es al fin y al cabo humano. ¿Verdad? ¿Verdad? Dime algo, Daniela...

—Puede ser. No sé. A mí no me pasa. Por suerte.

Rodrigo da vueltas por la pieza y su desesperación se acrecienta; puedo distinguir las gotas de sudor corriendo por los costados de sus mejillas que con la manga de su suéter intenta enjugar, y su cabeza ahora enarbolada por la cantidad de acrobacias de un lado para otro, parece la de un demente, la de un desesperado. Ante un imperceptible gesto mío, Ana y yo nos levantamos, yo tomo mi bolso, ella el suyo, y abandonamos el departamento sin decir palabra. Perdón, antes de salir, desde la puerta le digo a Rodrigo que puede comerse los pasteles árabes. También escucho su voz diciendo: «No te vayas».

Por muy enredada que estuviera mi alma, en un profundo y lúcido recodo, lo sabía. Yo crecería. Me haría mujer. Es un acontecer inevitable, los humanos no podemos cercenarnos como lo hacemos con las ramas de un bonsái. Algún día yo crecería como ahora lo estoy haciendo, y Rodrigo, insaciable buscador de la niñez, tendría que encontrarla en otro lugar, un lugar que no sería yo. Y mientras caminamos hacia el estacionamiento, intento explicarle esto a Ana. Ella está muda y pálida. Aferrada a mi brazo me mira con los ojos oscurecidos. Nunca antes la había visto así. Oprimo su mano.

—Ana, ¿estás bien? —le pregunto y ella con voz apagada, responde que sí.

—¿Y tú?

—Mmm —afirmo con la cabeza, también con una sonrisa. Me siento animada en lugar de deprimida, hasta podría dar un saltito en el aire, de esos que da Ana no por felicidad, sino por algo distinto. Por una suerte de dignidad que emergió de las catacumbas de mi ser. Y lo más impresionante es que en el cielo ahora las nubes tienen un tono dorado, como si hubieran apresado el sol en sus entrañas.

Cata

No sé si seré capaz de contarle... Le juro que quisiera hundirme, morirme, desaparecer. Sí, claro que tengo cara de cansada. Hace dos noches que no logro pegar un ojo. Necesito fumar. ¿Le importa que prenda un cigarro?

Me demoré cuatro días en llamarlo. Estaba decidida a no hacerlo. No era mi intención enredarme con un pendejo como Gabriel, se lo juro. Ese estado de inflamación y alegría era suficiente. Pero el destino es a veces mucho más poderoso que todas las voluntades, escrúpulos y convicciones juntos.

El martes en la noche, Joaquín me llamó para decirme que no llegaría a comer. Los niños dormidos, la comida en el horno, la mesa puesta para dos, y yo con el número de teléfono de Gabriel en la cartera. Qué quiere que le diga, la sincronía era perfecta. Las coordenadas apuntaban hacia una sola dirección, hacia una sola idea que se fue haciendo cada segundo más poderosa en mi cabeza: invitar a Gabriel a comer.

Por otro lado, al traerlo a mi territorio podría saber lo que él quería decirme sin exponerme a una situación peligrosa. Era, además, perfectamente admisible que lo invitara, o al menos así lo quise pensar. Gabriel no era ningún extraño, era amigo de Daniela e hijo de un colega de Joaquín.

Todo en familia, todo bajo control. Marqué su número, pero en el momento mismo que escuché su voz, supe que era una estupidez. La idea de invitarlo a comer era sin duda de una formalidad propia de un vejestorio como yo. En el teléfono se oían risas y música. Gabriel me dijo que estaba en un bar, no lejos de mi casa, y antes de que yo abriera la boca, él me propuso pasarme a buscar. Después de cortar sentí un pánico atroz.

Pero ¿sabe? No era miedo a lo que pudiera suceder, era otra cosa. Creo que sentí terror a creer. A creer que esa suerte de resplandor, de energía que había sentido los últimos días fuese más real que todo lo demás. Más real que el abrazo de mis hijos, más real que las eternas y silenciosas comidas con Joaquín, más real que mi vida. Tenía miedo de no poder en unas semanas, en unos meses, prescindir de Gabriel. No de él exactamente, sino del efecto que él estaba teniendo en mí. Tenía muy claro que Gabriel podría haber sido cualquiera. No era él la amenaza.

Al rato, me pasó a buscar. Salimos en mi auto porque él andaba a pie. Estaba animado, exaltado incluso. Yo creo que ya tenía un par de tragos en el cuerpo. Me propuso ir a una fiesta que daban los integrantes de una obra de teatro para festejar el final de su temporada. Como usted se puede imaginar, yo me negué rotundamente. Él me miró con una expresión decepcionada. No sé si fue su expresión o un súbito vértigo que inundó todo mi cuerpo el que me hizo aceptar. Sí, vértigo. Literalmente. De la misma forma que la visión de un acantilado puede hacer perder la cabeza a alguien hasta el punto de arrojarse. Tenía que arrojarme, había llegado hasta ahí y no podía detenerme.

Bueno, después de estacionar el automóvil en algún lugar de Bellavista, Gabriel me guió por una calle que subía el cerro. Por suerte me había puesto un simple par de jeans y no estaba vestida como una vieja, porque quienes subían por esa calle, eran todos desesperantemente jóvenes. Apenas entramos al galpón, más parecido a la cueva de Alí Babá que a una discoteque de las que yo iba cuando joven, vi pasar ante mis ojos mi futuro inmediato: una paulatina e irrefrenable desazón. Luces multicolores, música estridente y decenas de chicas jóvenes vestidas y pintarrajeadas como si asistieran a la última noche de brujas de su vida. Se reían estruendosamente, mostrando sus dientes blancos y sus rostros púberes, que me retorcían las tripas. Lo único que quería en ese instante era esfumarme. Gabriel me tomó de un brazo y me guió hacia una barra tan alta, que la única forma de pedir un trago era escalando a los taburetes que parecían jirafas. Cuando ya estábamos sentados, Gabriel, quien hasta ese minuto había avanzado saludando a cada paso a alguien, me miró con los ojos más intensos que yo había visto nunca. Sentí que con esa mirada buscaba sellar un pacto, un pacto que solo él y yo entenderíamos. Y no estaba tan lejos de la verdad. Pero eso viene después. No se preocupe, estoy bien, es que me gustaría saltarme todos los preámbulos y llegar pronto al final, o incluso inventarlo, para terminar con esto lo antes posible, pero sé que no puedo.

Debo reconstituir los hechos tal cual ocurrieron. Uno por uno, aunque duelan. Camino hacia la barra, Gabriel me presentó a cada uno de sus amigos como si yo fuera un trofeo. Siempre mencionando, eso sí, que era la madre de Daniela. A pesar de sentir un cierto orgullo ante su actitud, mi voz más punzante, más sombría, más implacable conmigo misma, me decía que el placer de Gabriel provenía de haber seducido a una mujer madura, de buena clase, madre de tres hijos, reputación inmaculada, y todavía deseable para quien ansíe echarse un buen polvo. Una mujer con esa urgencia solo posible en un espécimen femenino de mi edad, que teme perderse sus últimos resplandores, y se aferra a ellos como un náufrago a una barcaza, con garras, con la pasión desesperada y poderosa de a quien se le va la vida. No exagero, esa es la realidad, y por favor no me venga con uno de sus discursillos misericordiosos.

Todo esto se me ocurrió y ya no me sentí nada de bien. Usted sabe que soy incapaz de dejar de pensar. Lo más increíble es que fueron esos mismos intrincados caminos los que de pronto, sin saber cómo, me llevaron a concluir que en rigor tenía bastante suerte, Gabriel era endiabladamente atractivo y tenía su mano apoyada en mi hombro y me miraba expectante, con sus ojos indefensos. ¡Basta!, me dije. Basta con esta idea de mí misma que me tira una y otra vez al tarro de basura, al cajón de los trastos inservibles, cuando la mirada de Gabriel, según yo creía, me decía exactamente lo contrario. Y por eso me bajé del taburete, y con un gesto del dedo índice lo invité a la pista de baile. Mientras bailaba con él, me ofreció un cigarro, y entonces la escasa conciencia de mí misma que aún me quedaba, montó con el

humo hacia el techo de luces, se extendió en hili-
llos y desapareció. Bonito, ¿no? Pero fue en ese
momento que escuché una voz a mis espaldas que
decía algo así como: ¡Guauuu! Sí, con esa acentua-
ción, como si fuera un aullido.

Al volverme me encontré frente a frente
con una chica que había visto otras veces, aunque no recordaba dónde. Gabriel se lanzó sobre
ella y le dio un abrazo. Me la presentó como María. Gabriel se reía sin razón aparente y la bom-
bardeaba a preguntas. Ella lo miraba y abrazaba,
haciendo unas morisquetas como de sorpresa y
felicidad que francamente me parecían exagera-
das. De pronto la chica detuvo su show y me
arrojó una mirada que fue a dar directamente a
ese lugar en mi cabeza que creía olvidado: yo
misma.

Después de unos minutos, la chica desapareció. Entre tanto, mi sensación de bienestar se
había esfumado. Tenía un nudo en la garganta.
Nos quedamos de pie en la pista de baile y de
repente yo creo que de pura desesperación, me
largué a reír. Gabriel me miró desconcertado. Me
tomó de un codo y me guió de vuelta a la barra
de taburetes de jirafa. La chica de la pista era nada menos que María José, la hija mayor de Tere.
¿Se da cuenta? Ninguna de las dos quiso admitir
la presencia de la otra. Yo siempre la había visto
con esas polleras escocesas hasta las rodillas... es
seguramente Tere quien la obliga a llevarlas, para
esconder el natural erotismo de una chica de su
edad. Así vestida, como una prostituta cara, era
difícil reconocerla. Yo sabía al menos que revelarle mi presencia allí a su madre, significaba para

María José revelar su propio pecado. Por eso me quedé más o menos tranquila.

Una vez en la barra, Gabriel pidió dos vasos de whisky. Su rostro tenía una expresión muy seria y las luces titilantes de la pista lo teñían de verde. Usted sabe, yo siempre me fijo en esos detalles. No dijo nada por algunos segundos y de pronto se puso a hablar.

No sé si le conté que cuando conocí a Gabriel en el departamento de Daniela, él dijo como al pasar que había compartido con mi hija el momento más difícil de su vida. ¿Se lo había contado verdad? Esa vez yo no quise indagar, la sola idea de saber algo importante de él me produjo pudor. ¿Se ha dado cuenta de que hay cosas que están destinadas a ocurrir y por más que busquemos la forma de evitarlas, igual llegan? Esa historia es una de ellas.

Me cuesta contarle todo esto, al recordarlo se me vuelve a apretar el corazón.

Yo no tenía idea, pero Gabriel es el hermano de Melanie, la mejor amiga que tuvo Daniela de niña. Una chica bastante precoz para su edad. A pesar mío, Daniela pasaba casi todas las tardes en su casa. Por eso Gabriel y Daniela se veían a menudo, y se llevaban muy bien, porque ambos eran sensibles al arte, al teatro, usted sabe, a todas esas cosas. La verdad es que con Melanie, a pesar de ser su amiga inseparable, Daniela no tenía mucho en común. De hecho, cuando salieron del colegio ya nunca más se vieron. En cambio ellos, Gabriel y Daniela, se hicieron más amigos. Yo nunca me enteré de esa amistad, ni siquiera oí hablar de Gabriel, ya sabe, mi hija desde pequeña dejó de compartir sus cosas conmigo.

Daniela tendría trece o catorce años. Iban juntos a la casa de un amigo cuando Gabriel recordó que debía pasar por el departamento de su padre. No tomaría más de unos minutos, solo tenía que recoger el cheque que él le daba todos los meses. Su padre era bastante mayor cuando se casó con su madre y el matrimonio fue desde el comienzo un absoluto fracaso. Imagínese que se separaron cuando él tenía cuatro años. Pero el asunto es que entraron al departamento del doctor Nudman con una llave que él mismo le había dado a cada uno de sus hijos para que lo visitaran cuando ellos quisieran. Un gesto notable en teoría, pero que en la práctica es obvio que no resultó.

Primero vieron al chico. Tenía el cabello cortado casi al rape, a excepción de unas mechas en la parte superior de su cabeza. Vestía vaqueros y una camiseta negra. El otro no era tan joven, pero ciertamente era más joven que su padre. Sobre la mesa del living había botellas de whisky y latas de cerveza vacías. Tenían la música muy fuerte, quizás por eso no advirtieron la presencia de Gabriel y Daniela.

Si no hubiera sido por ese aire inconfundible del doctor Nudman, Gabriel no lo hubiera reconocido. Yo misma lo he notado, en lo poco que lo conozco, no sé, es una forma insegura de moverse, de emplazar los pies como si la tierra se estuviera moviendo. El vestido era azul y muy largo, el escote dejaba al descubierto su piel descamada y los pelos blancos de su pecho. En un costado, el traje se abría hasta la cadera; sus piernas, por su forma delgada y musculosa, no eran tan chocantes. Según Gabriel lo más patético era su rostro. Cada uno de sus rasgos era llevado a su máxima expresión por el maquillaje; la nariz angulosa cubierta de polvos blancos adquiría una proporción fantasmal, y su boca pintada de un rojo furioso rompía su rostro en dos mitades desiguales. Si se lo describo tan minuciosamente es porque así fue como me lo contó él, y a mí me impactó mucho...

Uno de los tipos contemplaba a su padre con una espesa mirada de carnero, mientras se pasaba las manos por el pecho. Su padre empezó a mover las caderas suavemente, pero a un ritmo dispar y como dislocado, tarareando la melodía con un agudo chachachá que no encajaba con la música de aire jazzístico que sonaba por los parlantes. Es horrible, ¿verdad? Yo nunca habría imaginado que alguien con una apariencia tan respetable como la del doctor Nudman podría ser tan degenerado. ¿Sabe?, era como si el mismísimo infierno se hubiera acercado a mí con su mugre, su indecencia. Y le juro que solo pensar que mi niña tenía apenas catorce años cuando presenció esa obscenidad, me revuelve el estómago.

Gabriel y Daniela salieron corriendo, nadie los vio. En la calle, él se puso a vomitar. Gabriel apenas podía caminar, y si no hubiera sido por Daniela, habría pasado la noche allí tirado en el mismo lugar donde había vomitado. Se sentía incapaz de encarar a su madre y a su hermana, por eso Daniela lo llevó a nuestra casa. Entraron por la puerta de la cocina y se encerraron en la pieza de Daniela. Nosotros nunca lo supimos. Pasaron la noche abrazados, vestidos, sobre la cama. Gabriel fue enfático cuando me dijo esto, para que yo no pensara que algo más había ocurrido. Acordaron que nunca hablarían del incidente. Es un secreto que los une de una forma entrañable y que ha marcado la vida de Gabriel. Me dijo que a quien más ama en el mundo es a Daniela, pero ella, por esas cosas de la vida nunca se ha dado por enterada. Varios años después cuando él estaba a punto de confesarle su amor, de traspasar esa línea fina, pero definitoria que divide una gran amistad de una pasión, apareció Rodrigo. Fue tan fulminante, tan poderoso el efecto que Rodrigo tuvo sobre ella, que por un buen tiempo apenas se vieron. Fue solo hace unos meses que volvieron a encontrarse, y Gabriel, al estar cerca de ellos, se ha dado cuenta de que Rodrigo le hace daño, que juega con sus sentimientos, que la manipula, y que, además, le es infiel. Quiere protegerla, eso quiere. Gabriel quiere hacerle ver la verdad y conquistarla, y para eso necesita mi ayuda. Según él, Daniela me admira profundamente y mi opinión es muy importante para ella. Quiere que yo, su madre, sea su aliada.

Tengo mucha pena, disculpe. ¿Me pasa un pañuelo? No sé cómo tuve estómago para escucharlo hasta el final. Sentí ganas de vomitar varias veces, de la misma forma que él lo había hecho ante la visión de su padre. Me había acercado a él con el supuesto fin de saber más de mi hija, y le juro que nunca, nunca como en ese momento vi la entereza, la dulzura, la lealtad de Daniela con tanta claridad, y nunca me sentí tan podrida, tan mísera, y a la vez tan decepcionada.

Sentía un dolor en todo el cuerpo, igual que ahora... Como en una película, vi pasar ante mí cada escena transcurrida desde esa tarde que conocí a Gabriel, cuando después de ese encuentro mi imaginación comenzó a encabritarse, a desatarse, a tomar caminos que me llevaron a ese instante monstruoso y equívoco. Porque si era realista, todos los signos que me había dado Gabriel eran coherentes con lo que él ahora me pedía. Se había acercado a mí, buscando mi aprobación, mi complicidad, mi empatía. Nunca me besó, nunca me tocó más de lo estrictamente permitido. Con sus gestos, con sus miradas, me mostró su alma para que yo lo viera, para que entendiera que era él el hombre que debía estar junto a mi hija y no Rodrigo. ¿Y sabe? Fui yo misma quien le abrió las compuertas. ¿Recuerda que mientras subía las escaleras del edificio de Daniela yo iba llorando? Yo llegué a Gabriel vulnerable, con el corazón abierto. Él no hizo más que verlo.

El resto nunca existió. Ni las miradas de deseo, ni los gestos ocultos, nada. Todo estaba en mi estúpida cabeza.

Gabriel, con esos mismos ojos suyos que tan solo un rato atrás me habían encandilado, esperaba una respuesta. ¿Sabe qué se me vino a la mente? Me pregunté si al romperse el hechizo, Cenicienta alcanzaba a llegar a su casa o corría escalera abajo del castillo en harapos. Me pregunté si alguien además de los ratones había presenciado su descalabro. Yo era la Cenicienta. El hechizo estaba roto, en el galpón habían apagado las luces y la oscuridad era casi absoluta. El barman nos miraba con los ojos enrojecidos por el cansancio y Gabriel seguía esperando una respuesta.

Le dije que sí, que podía contar conmigo, aunque no estaba segura de la ayuda que podría brindarle, puesto que mi influencia sobre Daniela era nula. Gabriel no estuvo de acuerdo e insistió que Daniela siempre me nombraba como un ejemplo. Yo no estaba de ánimo para iniciar una discusión. Quería salir, quería perderme y no aparecer nunca más, en ningún lugar, ni siquiera en mi vida anterior, esa que se había desmoronado a la par con la creciente ilusión por Gabriel. No fue fácil salir por los oscuros laberintos del local. Bajamos por Chucre Manzur hasta que por fin después de unas cuantas vueltas, llegamos a mi auto.

Dejé a Gabriel en Lyon con Providencia y él se despidió con un beso en mi mano. De esta forma sellábamos nuestro pacto. El pacto que a él lo llevaría a Daniela, y a mí al desaliento.

No tenía ánimo para volver a mi casa. Joaquín estaría durmiendo, se despertaría sobresaltado y me haría preguntas que en ese instante sería incapaz de responder. Vagué por las calles, perdiéndome en barrios que apenas conocía. Era un amanecer plomizo y bajo. Recuerdo que la luz rompía con rapidez la oscuridad de la noche. La rompía. Y la mañana aparecía ante mis ojos con una crudeza como gastada. Veía cosas que antes no había visto, más bien, que nunca hubiera mirado, por feas y sucias, y tristes; no sé, por ejemplo un perro cojo que deambulaba por la calle, tarros de basura atiborrados, aceras llenas de mugre y de manchas que parecían sangre. En algún momento entré a una fuente de soda y me tomé un café. Deben haber sido como las diez cuando decidí volver.

¿Sabe? Las calles que me llevaban a mi casa me parecían las de otra ciudad. Todo me era ajeno, como si volviera después de una largo viaje y en el intertanto, todo, a pesar de mantenerse en el exacto sitio de antes, hubiera mudado de aspecto, de color, de función incluso, aunque no pudiera determinar qué había cambiado, ni qué volvía ese entorno antes entrañable, ahora amenazador. Y mientras avanzaba, me miré en el espejo retrovisor: una mueca patética cruzaba mi rostro. Pensé entonces que si hay un prototipo de mujer insatisfecha que siempre he detestado, es aquel de la mujer que necesita una aventura para contrarrestar su inminente deterioro. Yo no solo era una de ellas, sino que además una que no llegó a puerto, que no supo cómo hacerlo; en resumidas cuentas, una perdedora. Una Perdedora con mayúscula. Y esa sí, le juro, era una gran sorpresa.

Cuando llegué a la casa, los niños ya habían partido al colegio. Me tomé un somnífero y me quedé dormida.

Eso fue hace dos días. Dormí solo tres horas y desde entonces no he vuelto a pegar los ojos. Pero no es la desesperación la que me impide dormir. Eso creo al menos. Me devano los sesos pensando qué hacer. ¿Se da cuenta de que con el tiempo puedo borrar esta historia de mi cabeza como si nunca hubiera existido? O puedo incluso acomodarla en mi memoria para hacerla menos traumática.

No quiero eso. ¿Recuerda que hace un rato le dije que no era a Gabriel a quien temía? Es a mí misma. Porque no va a ser tan fácil plantarme otra vez el corcho en la cabeza. Ese que salió volando y se perdió en el espacio. No quiero volver a adormecerme. Pero no sé qué significa mantenerme despierta. Porque no busco transformarme en una vieja adolescente, usted sabe que no soy tan elemental como para caer tan bajo.

A la hora de almuerzo le conté todo a Joaquín. No quería mentir. Podría haber inventado algo, no sé, que una de mis amigas me había llamado en estado de histeria por alguna estupidez que él sin duda me habría creído. Pero no quise, ¿sabe? Al menos eso lo tenía claro. Mentir era empezar a adormecerme. Quería por una vez mostrarme tal cual era. Con toda mi sensación de ridículo.

Creo que es lejos lo más valiente que he hecho en mi vida. ¿Usted también está de acuerdo?

Joaquín no lo tomó muy bien. Todo lo que le conté era diametralmente opuesto a la idea que él y yo teníamos de mí. No sé, como si de repente hubiera quedado al descubierto el revés de mi alma. Ese otro lado, que estaba ahí todo el tiempo, pero que ni yo conocía. Sí, claro, ya le dije que todo esto para mí es tan sorprendente como lo es para él.

Solo una loca, dijo, puede imaginarse que un pendejo como Gabriel se sienta atraído por ella, y solo una loca puede acudir a una cita tan incierta y exponerse en un lugar público a ser vista con él. Me enfrentó a punta de sarcasmos. Creo que era su manera de no hundirse. De todas formas, era difícil que entendiera algo que yo misma no entendía. Almorzamos y después partió de vuelta a su consulta, como si nada hubiese ocurrido.

¿Qué hice yo? Bueno, me quedé sentada en el borde de la cama mirando mi jardín hasta que los niños llegaron del colegio. Ahí mismo me encontró Francisco cuando entró a mi pieza y se sentó a mi lado. Después de mirarme un buen rato se puso a hablar de los duendes que viven en el jardín. Y como yo no reaccionaba, inventó un par de monstruos que vivían bajo la tierra, me dijo que estos monstruos eran tan malos que si yo no tenía cuidado, un día cualquiera podían destruir todo mi jardín. «Tienes que estar muy atenta, mamá», me decía una y otra vez, «muy atenta». Su rostro traslucía desesperación. ¿Entiende acaso? Francisco me pedía que volviera, que estuviera presente, ahí junto a él. Lo abracé fuerte, y él respondió a mi abrazo con una lluvia de besos. Nos quedamos abrazados, yo lo mecí como lo hago siempre, como si fuera un bebé, aunque hace rato dejó de serlo. Y, de pronto, sentí que yo era exactamente lo que parecía, no sé cómo explicárselo, era como si mi cuerpo y mi sombra, mi imagen y mi ser se hubieran superpuesto uno sobre el otro para volverse uno solo. No era una mujer desolada, patética, aferrada a su hijo, no era la Cata, ni la señora de Joaquín, no era la buena amiga de nadie, no era un reflejo en alguna ventana, no era siquiera la madre de Francisco, era yo.

Francisco a los pocos minutos ya se había impacientado y se soltó de mi abrazo. Me miró con una expresión resplandeciente, como la de un héroe que ha vencido al dragón. Salió corriendo y al rato lo vi en el jardín persiguiendo a Malea, que a pesar de su vejez aún logra escabullirse de él con cierta dignidad.

Ana

Son diez para las seis de la mañana y la luz del alba hiere los ojos enrojecidos de Ana. Por fin después de tomarse la pastilla que recetó Paula por teléfono, Daniela se durmió. En cambio, ella no pudo nunca tender ese puente por encima de la pequeña muerte que es el sueño.

Recuerda cada minuto transcurrido en el departamento de Daniela como si alguien dentro de su cabeza se obstinara en rebobinar y proyectar cada gesto, cada palabra, y fuera superponiendo las suyas, las de Jeremy, enfrentados a esos exactos puntos cardinales: traición, culpa, desengaño, rabia. Sentimientos que se cruzan, se tensan y desatan en mil formas impredecibles. Una sola expresión, un solo guiño es suficiente para cambiar el rumbo de las circunstancias. Al fin y al cabo, de aquellas pequeñeces están hechas las historias. Cuántas veces mirando una película esperó ansiosa esa frase tan simple que hubiera unido a los enamorados, a los enemigos, a las naciones, y cuántas veces una de las partes guardó silencio o reprimió un gesto que separó el destino de una pareja, o desató un duelo, o una guerra. Signos que pueden incluso llegar a ser paradójicos, como Rodrigo de rodillas frente a Daniela, desprovisto de orgullo, pero colmado de determinación.

Cuando caminaban por la calle rumbo al

estacionamiento, Daniela le anunció que se iría a vivir a la casa de sus padres. Lo dijo con una expresión despreocupada, que intentaba encubrir su estado de alerta y temor, aunque no pasó inadvertido a los ojos de Ana. Era obvio que la perspectiva de llegar a la casa de sus padres en esas condiciones la angustiaba. Por disuadirla (y porque era cierto), Ana le dijo que no quería estar sola esa noche, que la acompañara a su hotel, así podrían ir juntas a su cita con la sicóloga al día siguiente.

Llegaron al hotel a las siete de la tarde. Fernando le había reservado una habitación en un pequeño hotel frente al río, más adecuado a su presupuesto. Una vez en la pieza, Daniela sugirió que pidieran una botella de vino. Después de ordenar sus cosas, Ana se instaló en un sillón frente a la ventana y Daniela se tumbó a su lado. Un silencio extenso y leve se adueñó de la pieza. Nubes espesas cruzaban el cielo. A lo lejos la silueta inerte de una grúa sobre una torre en construcción se fue ensombreciendo hasta sumergirse por completo en la oscuridad. Antes que desapareciera, Daniela ya se había tomado prácticamente toda la botella. Repentinamente se incorporó y comenzó a hablar. Embravecida su cabeza con el alcohol, Daniela le contó que ver a Rodrigo en esos lances le había causado alivio. Él había mentido, la había engañado. Pero ella también a él. Lo había convencido de que era una niña, de que nunca se haría adulta y de que, además, sería una gran actriz. Estaban en igualdad de condiciones. Eran humanos, como había dicho él. De todas formas lo despreciaba. Porque el semblante triunfalista de la colegiala con su pucherito de niña consentida, no lo iba a olvidar tan fácilmente. Tampoco esa lanceta fina y certera que la atravesó, produciendo un dolor tan agudo que le nubló la vista por una infinitesimal fracción de segundo. Hasta que el mismo dolor despertó sus sentidos. Todos. Y ese era el motivo de su celebración.

—¡Salud! —exclamó alzando su copa—. ¡No quiero estar con Rodrigo! —vociferaba mientras daba saltos por la pieza—. ¡Soy libre, libre! ¿Oíste? ¡Libre! No quiero ser actriz, ni la niña de nadie, no quiero ser nada. ¿Me oíste? ¡Nada! Me basta con ser un ente, yo misma, un ente —gritaba con el rostro desencajado.

Fue en ese momento que Ana tomó el teléfono y llamó a Paula. Por fortuna en el hotel le consiguieron la pastilla que Paula recetó. Debió ser una dosis bastante fuerte, ya que ahora Daniela duerme como un ángel, y ella, Ana, se da vueltas por la pieza fumando esos cigarros asquerosos que compró Daniela en la calle y que huelen a bosta de caballo. Extraña coincidencia. El olor de los cigarros le hace recordar el proverbio que el fotógrafo tenía pegado en el techo de su pieza, declarando que el excremento y el oro estaban intrínsecamente ligados. Y la lleva a recordar ese último detalle que no quiso revelarle a Daniela. El detalle más definitorio, el secreto más cruel de su historia.

*

Ese día no pensaba encontrar a Jeremy en el departamento. Se suponía que él viajaría a Cambridge y no regresaría hasta el día siguiente. Pero allí estaba, mirándola con su aire distendido, con una copa de champaña en la mano y vestido con esa elegancia un poco fuera de tiempo, propia de los hombres que viven en un medio universitario. Ella, en cambio, había tenido un día lamentable. Allan le había pedido que reemplazara a Paul Caruso, el más antiguo, famoso y holgazán de los fotógrafos del *Sunday Times* en una sesión con una histérica criadora de caballos. La mujer no cesó ni un instante en hacerle ver que ella no era más que una insignificante sustituta, y a quien esperaba, era al prestigioso Paul Caruso.

Después de escuchar su historia, Jeremy le preparó un baño rebosante de espuma para que se sacara de encima el mal rato, le llevó una copa de champaña y esperó pacientemente a su lado a que sonriera. Había reservado una mesa en ese restaurante a orillas del parque de Hampstead que tanto les gustaba, un pequeño local donde servían el más delicioso de los *goulachs*.

El lugar no estaba lejos. Caminaron abrazados, Jeremy envuelto en un halo de misterio que se fue acrecentando a medida que avanzaban. Él mismo aminoraba el paso cuando este se hacía muy enérgico. «No te apures, tenemos todo el tiempo del mundo», le susurraba al oído. Y Ana lo miraba de reojo para no romper el encanto, intentando dilucidar qué diablos le ocurría. Empezaba el verano y la gente en las calles transmitía esa ansiedad de los que recién se asoman al exterior después de una larga hibernación, ostentando sus cuerpos blancuzcos y sus trajes veraniegos, aunque aún no hiciera una pizca de calor.

Se sentaron en una mesa frente a una ventana desde la cual se divisaba el agujero oscuro que dejaba el parque en el halo de luces de la noche. Jeremy pidió champaña y encendió su pipa. No fumaba a menudo, era más bien un gesto de concentración, de intensidad, que Ana había aprendido a reconocer con el transcurso del tiempo.

—Te voy a contar una historia —dijo Jeremy—. Y quiero que me escuches atentamente.

Su voz densa y pausada la estremeció.

—Solo dime una cosa —lo detuvo Ana—. ¿Me va a gustar?

—No sé —replicó Jeremy con un suspiro que solo logró alarmarla más—. Pero déjame al menos comenzar. La historia empieza con Elinor. Crecimos juntos. Eso ya lo sabías, ¿no es cierto? Desde niños, a pesar de la diferencia de edad, Elinor fue siempre mi compañera de juegos y aventuras. Ella era considerablemente más entretenida que mis amigos. Lo que más nos gustaba era hacer competencias. Tienes que haberte dado cuenta de eso, siempre inventa juegos para ella poder ganar.

Ana asintió con una leve sonrisa y se echó hacia atrás en la silla para mirarlo. Le gustaba observarlo mientras hablaba con ese gesto tan suyo de entornar los ojos como si avistara una idea a lo lejos.

—Nunca sabíamos quién ganaría de tan parejas que eran nuestras habilidades. Hacíamos competencias de destreza física y también intelectual. Jugábamos ajedrez de memoria mirando el cielo, recostados en el pasto. El primero que traspapelaba las posiciones en el tablero, perdía. En la piscina, era casi siempre ella quien ganaba. ¿Has visto sus espaldas? Tiene la fuerza y la agilidad de un pez. Pero sobre todo, competíamos por afectos. Cualquiera podía convertirse en nuestro objetivo: primos, padres, maestros, *nannis* y amigos. Nos desafiábamos a encontrar la adulación más encantadora y a la vez más mentirosa para obtener un incondicional devoto. Y nuestras pugnas no se detenían allí. En una ocasión, el reto consistió en quien acumulaba un mayor número de ligues en un mes. Yo le gané por poco, dos ligues más que ella.

—Perdón, ¿de un total de cuántos? —lo interrumpió Ana con la nariz enrojecida de tanto refregársela.

—Eso, creo, preferirías no saberlo —dijo Jeremy desplegando una sonrisa lateral, cargada de enigma e ironía. Ana optó por no insistir—. A Leah, mi ex mujer, la conocimos juntos. Apenas la vimos, ambos nos quedamos prendados de ella. Era de alguna forma la conjunción de los dos. Leah tenía la vehemencia y la ambición de un hombre, y la voluptuosidad y sentido de la aventura de una mujer. No me mires con esa cara, ya sé, ni unas ni otras son propiedades exclusivas de un sexo. Pero no es mi intención discutir sobre eso. El asunto es que Leah comenzó a ser parte fundamental de nuestra vida. Participaba a la par con nosotros en el ajedrez imaginario y siempre nos vencía con una carcajada llena de alegría y liviandad, excusándose por haber ganado, y arrepentida de involucrarse en nuestro afán de rivalizar. Estudiaba ciencias políticas en Trinity y su mayor aspiración era llegar al Parlamento. Tenía las ideas claras con respecto a todo, y las expresaba de una forma tan simple que los principios más intrincados se volvían transparentes en su boca. Junto a ella, Elinor y yo nos enrolamos en el Partido Laborista. Entre otras tantas desgracias del mundo de las cuales me fui enterando junto a Leah en esa época, supe lo que ocurría en Chile. Nos hicimos fervientes enemigos de Pinochet y organizamos varios eventos junto a Chile Solidarity para reunir fondos para la causa. Tú debes haber sido una niña en esa época.

Jeremy se detuvo un instante y miró por la ventana. En el fondo del parque se había prendido una luz azul que titilaba. Cuando intentó mostrársela a Ana, la luz desapareció, sumiendo al parque en su acostumbrada oscuridad. Encendió nuevamente su pipa y continuó.

—Nunca estaba muy claro a quién de los dos prefería Leah. Compartía una intimidad perfectamente bien equilibrada con ambos. Incluso no sabíamos a ciencia cierta cuáles eran sus preferencias sexuales. Sin embargo, una noche, después de uno de los tantos eventos latinoamericanos que organizábamos, con bailarines populares, zampoñas, niños de trajes multicolores y empanadas, ¿se llaman así, no es cierto?, mientras recogíamos papeles, serpentinas, restos de comida y volantes, del suelo, Leah y yo de pronto nos miramos. Botamos lo que teníamos en las manos, nos sacamos los guantes de plástico y nos abrazamos.

Elinor era parte del comité de transporte

—siempre lograba conseguir unas camionetas descomunales donde entraban hasta los pianos—, y lejos de su mirada vigilante, Leah y yo nos contemplamos por primera vez con otros ojos. Me llevó tras unos arbustos a un lugar del jardín que parecía conocer bien, se quitó su suéter negro y se quedó acuclillada en el pasto con la cabeza gacha. Era tanta su entereza y humildad, que no me atrevía a tocarla, me parecía una diosa que había descendido del cielo para ofrecerse así tan abiertamente a mí, un simple y pecaminoso mortal. Me puse a llorar como un idiota. Leah me abrazó. Hicimos el amor en el jardín de su *college* ante una noche clara de verano, ante los grillos y ante mis propios ojos demudados al comprobar que la gran Leah, la diosa, era virgen. Intentamos ocultar a Elinor nuestro romance. Ambos sabíamos que le produciría un gran dolor. De todas formas pronto Elinor se enteró. Las miradas furtivas y las caricias debajo de la mesa eran al parecer demasiado evidentes. Elinor aceptó su derrota —estoy seguro de que siempre lo vio así— con dignidad. Fue incluso la madrina de nuestro matrimonio, que se llevó a cabo ocho meses después, bajo el beneplácito de ambas familias y en general de toda la comunidad universitaria, que veía con buenos ojos esa alianza de jóvenes brillantes y ambiciosos. Demasiado brillantes y ambiciosos. Poco después de nuestro casamiento, Leah terminaba su doctorado en ciencias políticas con todos los honores posibles para una egresada de posgrado. Yo por mi parte no lo hacía ni un ápice peor. Teníamos una vida perfecta. Un departamento amplio, amoblado con un gusto exquisito, por Leah y mi madre,

probarte. Me sentía como un gourmet a quien le es negado el mejor bocado. Todo ese tiempo que tú estuviste en su casa de campo, ella no quiso que me apareciera por allí. Tampoco fui invitado a la pequeña fiesta que organizó para celebrar la adquisición de su cuadro. Me enteré por un amigo en común y simplemente llegué. Con una hermosa chica por supuesto, porque no me iba a enfrentar a ti con las manos vacías. Cuando te vi tendida en el sillón, no pude creer que se tratara de la misma mujer un tanto salvaje que Elinor me había descrito. Te veías desorientada y frágil en tu intimidad desbaratada por nuestra intempestiva presencia. Eras, y eso lo entendí más tarde, cuando apareciste con ese traje semitransparente del brazo de Elinor, mucho más sensual y a la vez más delicada de lo que ella te había descrito. En un momento, con la excusa que le ayudara, Elinor me llevó a la cocina y me advirtió que tú me destruirías. «¡Dos meses! Les doy dos meses y después te va a botar, ¡como a todos sus amantes!», exclamó. Demasiado tentador como para pasar por alto tan excitante desafío. Hicimos allí mismo en la cocina nuestra última apuesta.

El rostro de Ana había palidecido. Intentó un par de veces interrumpirlo, pero Jeremy con un ademán resuelto y a la vez cargado de emoción, la detuvo. Mientras Jeremy describía a su ex mujer hubiera querido abofetearlo, sobre todo en la primera parte de la historia cuando con sus palabras dejaba en evidencia la pasión que había sentido por ella; hubiera querido levantarse y dejarlo solo con su nostalgia, con su diosa, con sus apuestas; pero la curiosidad y un intrínseco sentido perverso la tenían atornillada a esa silla, mientras el *goulach* que habían pedido se enfriaba sobre la mesa y el champaña perdía sus burbujas, porque ninguno de los dos se movía, solo los labios de Jeremy que marchaban implacables hacia un desenlace que Ana imaginaba devastador.

—Hoy estamos juntos hace un año. ¿Te habías dado cuenta? Hace un año exactamente llegaste a mi clase haciendo sonar tus tacones.

—No. No me había dado cuenta.

Jeremy la miró con sus ojos pardos, instalados a medio camino entre el placer y la ironía.

—Lo que te estoy contando tiene un objetivo, no te lo cuento a modo de información curricular. Tú apareciste cuando estaba al borde de la pérdida definitiva de la esperanza. Y me trajiste a este lado a punta de hacerme reír. Te lo digo en serio. Te tienes que haber dado cuenta de que contigo me paso riendo. Bueno, eso es nuevo en mí. ¿Te das cuenta? Quiero morirme sabiendo que no me queda una gota de risa pendiente en el cuerpo, rodeado de un montón de nietos que se rían conmigo, y hagan chifladuras de esas que tú haces...

—Me estás pidiendo que nos casemos.

—Bueno, si para tener hijos hay que casarse, nos casamos, pero ese no es el punto, el punto es que quiero hacer una vida contigo, Ana.

—¿Sabes una cosa? —dijo Ana con los ojos chispeantes—. Mañana creo que es el día.

—¿El día de qué?

—El día de la concepción programada.

Al día siguiente por la mañana, Ana salió temprano, tenía que fotografiar a Kevin, un famoso fotógrafo que estaba haciendo furor en los medios artísticos de Londres con sus imágenes de excrementos. Esa noche, Ana se atascó en sus sábanas y se quedó con él hasta la madrugada.

*

El sol en medio de un cielo sin nubes, toca la ventana. Daniela aún duerme. Unas gotas de agua brillando en el vidrio acusan una lluvia nocturna. El aire está limpio, tanto, que hasta los barrios más remotos de Santiago se divisan con perfección. Jeremy se desvanece como un fantasma nocturno. Es mejor darse una ducha, resuelve Ana, y librarse de esos recuerdos que se le han pegado en los párpados. Después llamará a casa de Joaquín. Eso hará. El rostro dormido de Daniela tiene el tono blancuzco de las antiguas muñecas de porcelana.

Daniela

Es una voz dulce que viene de lejos, del otro lado de la montaña, del otro lado de la vida, y me jala hacia su orilla, y me pide que vuelva allí donde crecen las rosas y las enredaderas, donde los árboles se tornan rojos y amarillos en otoño, donde las chimeneas crujen en invierno.

Cuando despierto, Ana habla con alguien por teléfono en inglés. Después de colgar me dice que Rodrigo averiguó con Fernando nuestro paradero y que ha llamado tres veces. Yo no oí el teléfono. Ana le contó de mi enfermedad. Si Rodrigo sigue intentando hablar conmigo, hay tres posibilidades: uno, se considera culpable y siente compasión por mí; dos, no quiere aparecer como un tipo insensible y enturbiar más su imagen; tres, de verdad me quiere. Mi madre también sabe. Ana la llamó. Ahora todos están enterados.

Ana en el baño intenta «refaccionarse la cara», como dice ella, porque al parecer no durmió muy bien. Yo la espero sentada sobre la cama para bajar juntas a tomar desayuno. Por la noche llovió y el cielo tiene un resplandor azulado que ciega. Es tanta la nitidez del aire que en los faldeos de la cordillera se distinguen pliegues rocosos y senderos. Desde niña que no veía algo así.

Es la hora de mayor concurrencia en el comedor. Una tropa de extranjeros, con apariencia de estrellas de rock de baja monta, se abalanza sobre el mesón de cereales, frutas, panecillos y demases. Entre las mesas distingo la inconfundible silueta de mi madre avanzando hacia nosotras. Mira a lado y lado con ese aire distante que le dan sus ojos a medio abrir. Nos ha visto, y ahora acelera la marcha. Esperaba encontrar su discreta elegancia, su traje siempre a tono con las circunstancias, pero no es así. Nada encaja hoy en su apariencia. Los pantalones que lleva puestos le quedan grandes, y su rostro pequeño y pálido parece arrinconado en el amplio cuello de su suéter. La falta absoluta de maquillaje, deja al descubierto unas diminutas manchas parduscas en su rostro. Lo que más me impresiona son sus ojos, que perfilados con una línea negra, se han vuelto dos hondos y sombríos orificios. Esto debe ser terrible para ella. Se sienta con nosotras e intenta una sonrisa, extiende la mano por sobre la mesa y con la cartera colgada del codo toma la mía sin decir palabra. Observo sus uñas perfectas y sus dedos que se estremecen al contacto de los míos, como si intentaran abarcar más de lo que es posible con un simple apretón de manos. Después de saludarla afectuosamente, Ana se levanta en busca de algo para comer. Mi madre la observa alejarse y hunde una mano en su pelo lanoso, un gesto lleno de gracia, que conozco bien y que debe haber adquirido en su juventud. Entonces me mira a los ojos. Los suyos colmados de lágrimas se ven muy intensos, su barbilla tiembla imperceptiblemente. No puedo dejar de mirarla. He crecido mirando sus cambios de expresión, pesquisando en ellos los menores indicios de consentimiento. Ella no puede hablar. Sé que si abre la boca se va a poner a llorar. Podría ayudarla, pero una inédita crueldad se apodera de mí; no quiero hacerle las cosas fáciles.

—Daniela... —balbucea mientras prende un cigarro—. ¿Sabe? Nada ni nadie es lo que aparenta. Ni usted, ni yo, ni su padre, ni Ana, nadie. Somos mucho más frágiles y más incoherentes.

Me quedo esperando a que continúe, que de alguna forma enlace lo que ha dicho con el momento presente, pero no dice nada más. Ana ha desaparecido. Un mozo nos sirve café. Después de tomarse el suyo de un envión, mi madre comienza a hablar nuevamente:

—¿Recuerda esa vez que se perdió en una tienda? —yo niego con la cabeza.

—Bueno, usted tenía cinco años, es difícil recordar cosas de esa edad. Fuimos a comprar un regalo de matrimonio y a vitrinear un poco; usted sabe, eso siempre me ha gustado —asiento con la cabeza, pero no sonrío—. Fue en una de las grandes tiendas. Empezaba la temporada y todos los rieles estaban llenos de cosas nuevas. Me estaba probando un vestido frente a uno de esos espejos de pared, sin realmente probármelo, solo mirando si me iba bien el colorido, cuando usted desapareció. Comencé a llamarla. Cuando me di cuenta de que no respondía y de que no la veía por ningún lado, me puse a correr llamándola como una desenfrenada. En un momento dado, una vendedora me detuvo y me preguntó qué me sucedía; yo no podía hablar, solo pronunciaba su nombre una y otra vez. Nunca había sentido tanto miedo en mi vida. De pronto la vi aparecer, venía de la mano de uno de los guardias. Me abalancé sobre usted llorando como una idiota. Me dije en ese instante que nunca más me sucedería, eso de perderla, porque sería yo quien más sufriría con esa pérdida. Pero, ¿sabe? Lo más increíble es que usted nunca se movió de donde estábamos. Se quedó allí mismo, entre los rieles, escondida, tal vez mirando los colores de los vestidos, no sé, pero yo no la vi. Allí la encontró el guardia, en el exacto lugar donde yo creí que la había perdido.

Mi madre aplasta el cigarro en el cenicero y enciende otro.

—Le dije a Marcelina que le preparara su pieza. Encontré su guatero, el que tiene forma de oso. Si hace frío en la noche, Marcelina se lo va a poner.

—Veo que Ana le contó lo de Rodrigo.

—Sí.

—Supongo que debe estar feliz.

—No, para nada. Se lo prometo.

—Aunque le parezca increíble, yo sí.

—En ese caso, yo también.

—No sea ridícula, mamá —río por primera vez desde que estamos juntas en esta mesa. El rostro de mi madre hasta ahora en sombras, se ilumina levemente.

—Su padre estará aquí en un rato. Está destruido.

Siento rabia con sus palabras.

—Paula, la sicóloga que vi en Valparaíso, me dijo que no me hiciera responsable de los sentimientos de los otros —afirmo con sequedad.

—Sí. Tiene razón. Supongo que tendré que aprender tantas cosas.

—Supongo que sí.

Un silencio turbulento y compacto se abre entre nosotras. Mamá prende otro cigarro y desmigaja un trozo de pan. Desconcertante. Soy yo la que siempre ha triturado el pan sobre la mesa y ha sido ella quien siempre me ha criticado por hacerlo. Suspiro, es una necesidad física, como si al suspirar, bajara por un segundo el telón y me concediera a mí misma una tregua. Una tregua que me da la energía para seguir con el siguiente acto.

Mirando hacia un punto indefinido del comedor, con el cigarro sujeto entre sus dedos, mi madre pregunta:

—¿Quiere mucho usted a Ana, no es cierto?

—Sí —digo con cierta cautela—. Mucho. Me salvó la vida.

No puede ocultar mi madre el dolor —o la ira acaso— que mis palabras le provocan. Su boca se crispa y también su frente, y sus manos barren con demasiada energía su pelo hacia atrás. Ana, la perdida, la inmoral, la puta de la familia, me salvó la vida, y ella, la madre devota y perfecta ni siquiera se dio cuenta, paradójico, ¿verdad?

Por el pasillo divisamos a mi padre y a Ana. Hace unos minutos que mi madre y yo guardamos silencio. Mi padre se sienta con nosotras, pero Ana se excusa de acompañarnos. Tiene que arreglar sus entuertos nos dice, y me guiña un ojo, porque nosotros sí que tenemos un buen entuerto que arreglar. Es un desayuno lleno de preguntas que yo por instinto trato de aplazar hasta que estemos frente a la terapeuta. La desesperación de mi padre se asoma entre sus dientes, impidiendo que una palabra se enhebre con la otra.

Por la tarde, mi padre y mi madre me acompañarán a la clínica.

*

Tengo la impresión de que Ana estuvo aquí antes, porque Marina, la terapeuta, habla de ella como si la conociera. Nos hace pasar a una salita con muebles de mimbre y alfombra multicolor. Con mi consentimiento ella toma la palabra. Yo ya he escuchado el diagnóstico un sinfín de veces, pero para mis padres debe ser duro escuchar la historia y el peligro que corrí con mi última vomitona. Puedo ver de pronto la expresión de repugnancia que mi madre intenta encubrir con una sonrisa, pero también su pena y consternación. En un momento dado, Marina me pregunta cuándo comí por última vez. Es evidente que tiene un sexto sentido y que no será fácil engañarla. De hecho, desde que salí ayer del hospital no he probado bocado y eso me hace sentir especialmente eufórica. Me dice que intentaremos hacer el tratamiento sin internarme, pero si la cosa no marcha, tendré que permanecer en una clínica para que puedan controlarme. Me siento un animal salvaje que alguien con una cuerda intenta apresar. Me muevo de un lado a otro en la consulta, inquieta, como si la cuerda efectivamente existiera y yo con mi movimiento estuviera esquivándola. Con la celeridad de un rayo pasan por mi mente todas las posibles fórmulas para no subir de peso y al mismo tiempo aparentar que me estoy curando. Debo evitar a toda costa que me encierren, sería mi muerte.

Veo a mis padres allí sentados, indefensos ante Marina, y tengo la impresión de saber tan poco de ellos, mi padre con la cabeza gacha, como si lo estuvieran acusando de algún crimen, mi madre por ratos derrotada, por ratos intentando enderezarse en su silla y desplegar sin éxito una de sus sonrisas calmas, de esas que dicen, «no se preocupen, aquí no pasa nada, tengo todo bajo control». Y se me ocurre entonces que nos hemos pasado la vida sumergidos como icebergs, dejando tan solo al descubierto una mínima y artificiosa porción de nosotros mismos, y recién ahora hundimos la cabeza bajo el agua por apenas un segundo, lo suficiente para vernos en toda nuestra desnudez.

Volvemos a casa exhaustos y en silencio. En el auto papá enciende la radio. La clínica donde trabaja Marina queda en lo alto de una de las nuevas urbanizaciones. A medida que descendemos, el cerro va quedando atrás y aparece el río, luego el mall y sus luces que siempre fingen celebrar algo. Enfilamos por la Kennedy a la hora en que todos retornan a sus casas en dirección contraria a la nuestra. Atravesamos la plaza con su iglesia y sus árboles remozados, las vitrinas de las tiendas, iluminadas y solitarias, y las pocas casas que van quedando en pie entre un bosque de edificios, con sus rejas de fierro negro y sus perros también negros. Por la radio dicen que un cuerpo de mujer hinchado y blanco apareció flotando en el río Mapocho. Mamá la apaga. El auto de papá se desplaza silencioso. Una nave sellada que me devuelve a mi calle, a la luz blanca e inmutable de los faroles, a los jardines llenos de flores invernales, en suma, a lo conocido. Ante una señal de papá el portón automático se abre despacio. Yo desciendo en el acceso y miro el cielo. La noche está despejada. La luna en cuarto menguante se ve mucho más baja que el resto del cielo, como si se hubiera colgado del firmamento para decirnos algo.

Adentro de la casa, Marcelina nos aguarda con cara de circunstancia. Rodrigo me espera desde temprano. No ha querido moverse. Nuevamente esa arista de crueldad se apodera de mí. Arropada de un coraje que no conocía, me dirijo hacia mi pieza sin pasar por la sala, y le digo a Marcelina que por favor me excuse ante Rodrigo, que estoy demasiado cansada para verlo. Las tres posibilidades que barajé por la mañana con respecto a los sentimientos de Rodrigo están aún vigentes. Supongo que él mismo con el tiempo tendrá que mostrarme cuál de todas es la verdadera.

Miro por la ventana de mi pieza y entre las sombras aparece el jardín de mi madre. Por un instante pienso que tal vez, solo tal vez, logre saltar la empalizada y abandonar este precario borde del mundo. El cielo del atardecer en el norte y en el sur tiene un tono rojizo y purpúreo. Hace algunas semanas sin duda habría dicho que el cielo estaba manchado de sangre. Ahora diré que está colmado de pasión. ¿No es también roja la pasión acaso? ¿Y no es verde, como el jardín de mi madre, la esperanza?

Ana

En tan solo tres días con la ayuda de Daniela, Ana tomó las fotos que se suponía constituían el objetivo de su viaje. Instalaron un telón en el parque Forestal y detuvieron a cuanto paseante se interpuso en su camino. Incluso retrató a un perro callejero que se detuvo a mirarlas. Con Daniela le llamaron Óscar, en honor de Oscar Wilde. Al fin y al cabo un país puede ser representado por cualquiera de sus habitantes, concluyó Ana, cuando a la mañana siguiente de haber llegado a Santiago, saltó de la cama resuelta a hacer sus fotos fuese como fuese.

Mientras examina en la terraza del hotel las tiras de prueba que le ha traído Daniela del laboratorio, Ana piensa que de todas formas lo que ha hecho es inútil. Hace rato que en Londres desecharon ese reportaje. Lo hizo acaso por estar aquellos últimos días junto a Daniela.

Es cierto que Daniela está ahora en manos de sus padres, pero ese momento de desprendimiento que tantas veces ansió mientras velaba su sueño, al llegar, no le produjo alivio, ni tampoco le devolvió la sensación de libertad que había supuesto. Si tuviera que ponerle nombre a aquello que oprime de una forma solapada, pero constante su corazón, tal vez lo llamaría vacío. Un vacío similar al que experimentó junto a Daniela. Una suerte de olvido de sí misma, del mundo y sus vistosas hazañas. Esas hazañas por las cuales antes hubiera dado la vida y que ahora le parecen intrascendentes, pueriles casi, un juego de niños donde en lugar de canicas se transan vanidades.

—Óscar está genial —escucha la voz de Daniela señalándole el rostro inclinado del perro que mira hacia la cámara. En un costado de la foto las alas de una paloma dibujan en el cielo un signo de exclamación.

—Te voy a mandar una copia, y también de esta que nos tomó ese niño en la fuente. Salimos bastante decentes, ¿no te parece?

—Bueno, si pasamos por alto mis dientes chuecos y los pantalones sucios tuyos, no estamos tan mal.

—Yo encuentro que parecemos actrices de cine —ríe Ana.

Un enorme sol rojo se hunde en la cordillera de la Costa y la brisa balancea las hojas de un par de abedules, desprendiendo un tintineo crujiente y fresco. Daniela maneja las tiras de prueba cuidadosamente, numerándolas con seriedad, como si cada uno de esos trozos de papel tuviera un valor incalculable. Ana siente ganas de decirle que la quiere, pero se contiene. Al fin y al cabo se está mejor sin llegar a declarar esas cosas que después de dichas quedan flotando en el aire sin uno saber qué hacer con ellas.

Al levantar la vista hacia las puertas que dan al interior del hotel, Ana ve aparecer a Joaquín. Le ha pedido que la acompañe a casa del abuelo, es lo último que hará antes de partir. Con cierto aire de resignación, Daniela guarda las pruebas en un sobre y ambas salen a su encuentro.

Frente al mesón Daniela se despide de Ana y Joaquín. Su madre se ofreció a llevarla a su sesión con Marina y debiera estar allí en unos pocos minutos. Ana se despide de ella con una caricia en su cabeza. Tal vez se ha quedado más tiempo del necesario junto a ella porque Joaquín tomando su hombro la insta a continuar. Ahora ambos caminan hacia la puerta y es en ese instante que, movida por un impulso, Ana se detiene y vuelve la vista atrás. Daniela permanece inmóvil, tiene los brazos enlazados en el pecho. Daniela la mira desde un lugar lejano, sus pupilas parecen recogidas hacia el interior de su cuerpo. Ana sabe que por la noche cenarán juntas en casa de Joaquín, y que mañana será ella quien la lleve al aeropuerto, pero a pesar de eso, a pesar de que todo retorna de alguna forma a su curso acostumbrado (Daniela a su familia, ella a un avión), la embarga el mismo sentimiento del día que Daniela desde su cama, con una voz apenas audible, le pidió que no se fuera, lanzando al aire un lazo que la cogió. Sin advertirle a Joaquín sus intenciones, Ana da media vuelta y camina hacia Daniela, apresurando el paso, hasta correr, hasta alcanzarla y estrecharla en un abrazo.

—Me quedo hasta que estés bien, Daniela, hasta que todo esto haya pasado —le susurra al oído y Daniela permanece quieta, aferrada a su abrazo, sin respirar casi, y es tan estrecho su torso que Ana tiene la sensación de contenerla entera en el suyo.

Joaquín a unos pocos metros las mira. Ana y Daniela están enlazadas en un abrazo. Después de unos segundos se acercan a él.

—Me quedo, primo. Ahora no tenemos ningún apuro —dice Ana—. Y no nos movemos de aquí hasta que llegue Cata —murmura bajando los ojos al tiempo que coge la mano de Daniela.

*

Mientras Daniela y Cata se alejan, una extraña expresión cruza el rostro de Joaquín, una expresión que él mismo intenta borrar restregándose el rostro con las manos.

—¿Acaso no te gusta que me quede? —pregunta Ana al advertir su gesto.

—No, no, no es eso. ¿Cómo se te ocurre?

—¿Qué es entonces? Porque a ti te pasa algo.

—Nada, nada. Imagino que no vas a quedarte en este hotel —dice Joaquín, cambiando abruptamente el curso de la conversación.

—Ya veremos, tal vez podría arrendarme un pequeño departamento —replica Ana.

—Y la casa del abuelo, ¿te gustaría quedarte en la casa del abuelo? Está vacía, no hay muebles ni nada, pero...

—¡Sería maravilloso! —exclama Ana con un súbito entusiasmo—. ¿Tú crees que a tus hermanos les importe?

—Mira, lleva dos años sin venderse; además, te pertenece a ti tanto como a ellos.

—¡Entonces, quiero ver la casa ahora! —exclama Ana cogiendo a Joaquín del brazo.

No mucho después están frente a la casa del abuelo. Es la misma reja, el mismo sendero corto y sin recodos que conduce a la casa, ahora cubierto de musgo que suelda las baldosas rotas.

Los postigos de las ventanas están cerrados y los muros que alguna vez fueron blancos se esconden tras una naturaleza desbordada. Mientras Joaquín busca la llave en su bolsillo, Ana a su lado recuerda de pronto su sueño. Aquel que tuvo la primera noche que pasó en Santiago. Recuerda la casa blanca resplandeciendo sobre un fondo de tinieblas. Por la ventana de esa misma casa vio a su abuelo en su poltrona de cuero tomando té. Pero antes de lograr hablarle, de sentarse junto a él, la imagen desapareció.

Joaquín abre la puerta de la casa y se queda en el rellano esperando a Ana que avanza con lentitud. Un gato famélico está tumbado cómodamente al sol. Ana se detiene, mira hacia las ocasionales pinceladas del cielo y luego entra.

Ante sus ojos aparece el largo pasillo que desemboca en el otro extremo de la casa. Por allí se prolonga la hondura de su infancia, y la de Joaquín, y la de su padre, y la de todos los que crecieron en ese lugar mientras también crecían los árboles y las verjas vecinas, y el barrio, y esa ciudad que al llegar no reconoció, al verla poblada a lo largo y a lo ancho de edificios aniquiladores de recuerdos.

Una vez adentro, Ana se da cuenta de que el ruido de la vida habitual se ha detenido.

—¡Es increíble! —exclama consciente de que tiene los ojos anegados de lágrimas.

Se ha puesto a merodear, abriendo puertas, dando vueltas por las habitaciones vacías, desplegando postigos y ventanas para dejar entrar el aire. La luz de la tarde cae suavemente sobre los pisos de madera, sobre los muros desnudos, proyectando las ramas arqueadas de los árboles, y revelando ante sus ojos la quietud de lo que fue habitado y ya no lo es. Ana se detiene. No hay urgencia allí dentro, ni celeridad, ni futuro.

Joaquín apostado contra un muro, de brazos cruzados, la mira por las rendijas de sus ojos. Suben las escaleras y a su paso algunos escalones crujen; siempre crujieron, el abuelo fiel a sus tradiciones nunca las sustituyó por escaleras de mármol blanco como lo hacían los demás vecinos. En la pieza del abuelo ha quedado su cama de bronce.

—Nadie quiso llevársela en el remate —le explica Joaquín—. Tampoco el sillón de la sala y sus libros.

La estatuilla de un santo ha quedado olvidada en un rincón.

Cada recodo de la casa contiene algún secreto de aquel tiempo en que ella no estuvo. Está todo allí y a lo mejor con un poco de esfuerzo y paciencia, podría escuchar en los pliegues del silencio el murmullo de aquello que no oyó, las sombras de lo que no vio, la estela de la tristeza que no sintió cuando su abuelo resolvió dejar el mundo, su casa y a ella. O puede especular, imaginar por ejemplo, que fue al mirar por esa ventana que ella mira ahora, y encontrarse con ese ciruelo de ramas contrahechas, que el abuelo empezó a abandonar la vida.

—Es increíble —vuelve a decir. Joaquín a unos cuantos pasos continúa observándola. A pesar de secundarla en su periplo e incluso animarla con sus recuerdos, Joaquín tiene una expresión ausente en el rostro, como si algo ajeno a ese momento lo estuviera acechando. Es sin duda la enfermedad de Daniela que lo tiene abrumado, piensa Ana, al tiempo que descienden pausadamente las escaleras. Una melodía azucarada de una radio vecina quiebra el silencio.

—El abuelo hubiera detestado esa música, y yo también —alega Ana—. Voy a necesitar la mía propia para no escucharla.

Con un tono más animado, Joaquín menciona que en el garaje de su casa hay un montón de muebles casi nuevos que han quedado rezagados después de alguno de los cambios de decoración de Cata.

—Prácticamente no tendrás que comprar nada para hacer de esto un lugar vivible —le dice.

—¡Suena fantástico!, si hay algo que detesto es comprar muebles y todas esas cosas —dice Ana y sin disimular su alegría se precipita a abrazarlo.

Y es en ese abrazo que Joaquín alza los ojos y los fija en los de ella. Ana se sobresalta bajo su mirada.

—Cata se fue de la casa —dice él lentamente, mordiendo las palabras.

—¿Cómo?

—Lo que oyes.

—¿Pero qué pasó?

—Será la menopausia —dice Joaquín entre dientes con un brillo burlón y triste en los ojos. Ana separa con delicadeza su cuerpo apresado en ese abrazo que ella misma inició.

—Cata es muy joven para la menopausia. ¿Qué pasó, Joaquín? —lo encara Ana mirándolo a los ojos—. ¿Un amante?

—Peor que eso. Una crisis. ¿Te das cuenta? A su edad y con una crisis existencial —profiere

Joaquín, reanudando su paseo por la habitación—. Dice que lo nuestro se está muriendo. Que hacemos algo para revivirlo o lo matamos definitivamente. Pero para eso hay que tomar distancia, dice ella, para romper nuestras costumbres, para encontrar una nueva forma de relacionarnos... esas son sus palabras... no las mías.

A pesar de notar la desesperación de Joaquín, Ana arremete con una pregunta:

—¿Y tú alguna vez has sentido eso?

—¿Qué?

—Sabes muy bien a qué me refiero.

—Claro que he tenido una que otra crisis existencial. Viene con el paquete de la modernidad, tú sabes —dice, imitando la voz pomposa de un catedrático.

—¿Y qué hiciste?

—Las controlé. Una por una las controlé —Ana observa bajo la piel mate de Joaquín un leve rubor que avanza sigilosamente—. Yo no soy un mediocre que se va a arrebatar por impulsos adolescentes. Claro que me aburro de mi predecible vida marital. Con Cata hace meses que ni siquiera nos tocamos. Pero dime, Ana, ¿qué más hay que esto? Puedo empezar otra vida de lo más excitante, encontrar a una mujer más joven que Cata, que se impresione con mis historias, con mi vida, que se vuelva loca cuando la toco. Fascinante. Pero, ¿y después? Después otra vez la rutina, la falta de interés. Con la diferencia que voy a tener dos matrimonios a cuestas... ¿Para qué?, dime. Siempre uno tiene esa ilusión de que la vida está en otra parte, en un lugar inaccesible. No se saca nada con andar buscándola por ahí, porque la vida no es más que esto, Ana. Y al que no le guste que se joda.

—De todas formas vale la pena buscar.

—¿Buscar algo que no existe?

—Bueno, para mí eso es vivir. Justamente. Es esa constante inquietud la que te indica que estás vivo y no muerto.

—Suena maravilloso, irrebatible. Pero tan irreal como el Pato Donald. La vida, Ana, no está hecha de inquietudes. Está hecha de cosas un poquito más sólidas.

—Tu discurso también es irrebatible —ríe Ana de pronto—. Y esta discusión ya la he tenido antes.

—¿Ah sí, y con quién? —sonríe Joaquín.

—Conmigo misma —hay un tono de derrota en la voz de Ana que Joaquín no advierte.

—Para sentirse viva, Cata tuvo que enamorarse de un tipo de la edad de Daniela. Calentarse es la palabra precisa. ¿Te das cuenta? Calentarse con un chico que podría ser su hijo. Es grotesco —afirma Joaquín con un ademán enérgico de las manos.

—Pareciera ser siempre lo mismo —dice Ana en un murmullo, pero Joaquín no la escucha.

Sobre el ciruelo muerto que Ana ha visto un rato atrás se ha detenido una loica de pecho colorado. El sol invernal cae sobre la hierba sin cortar y sobre las hojas podridas en el suelo. Por una ventana entreabierta penetra una brisa en la habitación vacía. Es quizás por eso, porque la pieza está vacía, que la brisa se vuelve corpórea.

Siempre es lo mismo vuelve a decirse Ana. Idénticos motivos, idénticas carencias. Y aunque al vivirla nos sintamos únicos en el mundo, es la misma historia que se repite, solo que de diferentes formas. Como en aquellos laberintos de espejos donde al entrar uno se alarga, se ensancha, se agiganta, se encoge, pero al salir, se sigue siendo el mismo. Es tal vez la noción de lo predecible la que genera ese deseo de transformarse, aunque ilusoriamente, en un ser diferente y único. Y lo más irrisorio es que, al iniciar ese viaje de espejismos, en apariencia tan personal y exclusivo, uno no se da cuenta de que en el espejo de al lado está el vecino haciendo exactamente lo mismo.

—¿Por qué ahora? Eso me pregunto. Con Daniela así como está —Joaquín interrumpe su pensamiento mirando hacia el techo.

Ana guarda silencio, oprimida por la emoción que ahora descargan las palabras de Joaquín.

—Ojalá uno pudiera escoger el momento, sería ideal, ¿o no? No conozco a Cata, aunque imagino que la mueven los mismos motivos que a la mayoría de las personas, excepto a ti, por supuesto, pero tú eres de otra especie.

—No te burles, Ana.

—Te lo digo en serio. Para mí que tú estás hecho de una materia más dura que la nuestra, Joaquín. La mayoría de los mortales no somos capaces de controlar nuestra pequeñez... la usamos para sentirnos poderosos, amados, admirados, qué sé yo, cada uno la usa a su manera... Usarla es una necesidad, como la de respirar, o comer...

—Se me olvidaba que al fin y al cabo eres mujer y de esas que protegen a su género, aun pasando por encima de su primo más querido...

—Primero, me refiero a toda la especie

humana, no solo a las mujeres, primito, y segundo, no creo que se te olvide por un segundo que soy mujer —sonríe Ana.

Una vez que cierran la puerta de la casa, Joaquín no vuelve a mencionar el asunto de Cata. Acuerdan que durante el fin de semana él la ayudará a mudarse. Se pone el sol cuando Joaquín la lleva de vuelta a su hotel. Mientras bajan por Bellavista, las fachadas de los edificios del otro lado del río se incendian en algunos puntos con fulgores que se trasladan de ventana en ventana.

Ana respira hondo y el aire con cristales rojos de sol penetra en su estómago.

*

Aunque se dio unas cuantas vueltas por el minúsculo bar del hotel, y después miró una película en el cable, lo que hace Ana sin confesárselo, es esperar que el reloj dé las tres de la mañana para marcar ese número que se sabe de memoria y que ha ceñido cada día su mente. A las tres serán las ocho en Londres y Jeremy estará sentado en su cocina, con una taza de café entre las manos, leyendo el diario. Si hay alguien a quien debe informarle su decisión de quedarse es a Jeremy. Al fin y al cabo, él ha cuidado de la Señora Palmer y tendrá que seguir cuidándola por un buen tiempo. A lo mejor podría pedirle que se la enviara en una de esas jaulas de animales que ha visto en los aviones. En todo caso, tiene pretextos suficientes para hablarle. Eso se dice mientras toma por fin el auricular. Antes de marcar se saca los zapatos. Recién en ese instante reconoce el profundo agotamiento que la embarga y que se extiende por todo su cuerpo.

—¿Sí? —escucha decir a Jeremy. Su voz parece tener trozos de noche atrapados en la garganta.

—¿Dormías?

—¿Ana?

—Sí, soy yo. ¿Cómo estás?

—Yo bien. ¿Y tú?

—Bien.

—Me alegro mucho.

—La verdad es que no tanto... —dice Ana y siente que su voz, y todo su cuerpo descienden a lo más profundo, allá donde no hay luz y los gusanos se comen la carne de los muertos, donde ha arrojado tristezas, abandonos, deslealtades, con la esperanza de borrarlos de su memoria. Desde allí intenta alcanzar a Jeremy, aunque su voz no logra remontar la hondura del foso.

—...

—¿Jeremy, estás ahí? —dice, pero ella no logra escucharse.

—Me estabas diciendo algo.

—Jeremy... —un molesto nudo en la garganta le impide hablar.

—¿Sí?

—¿Y... y la Señora Palmer?

—Aquí como siempre flojeando por la vida. ¿Tú quieres decir algo, no es cierto?

—Sí.

—Dilo entonces.

Mierda. No puede contener un sollozo que la aprisiona como si alguien la estuviera ahorcando y la amenazara con quitarle el aire. Un sollozo que no se detiene, que moja sus mejillas y se expande por su cuerpo convulsionándolo. No era lo que tenía pensado, aunque no sabe exactamente qué es lo que tenía pensado, y ahora balbucea unas palabras e intenta contarle lo que ha sucedido con Daniela, las noches en vela al pie de su cama, ambas hundiéndose en una zanja, las fuerzas que sacó de lugares que ni ella misma conocía para no abandonarlo todo, para no hacer una simple llamada a sus padres, y soltar la cuerda, dejarla irse para que ellos la tomaran y sostuvieran su vida. Todo eso intenta decirle, intercalado por los sollozos, que a pesar de un precario alivio que siente al hablar, no quieren abandonarla. Intenta explicarle lo que siente por Daniela, pero no encuentra las palabras, porque a lo mejor no existen, o no las conoce, y a mitad del camino opta por decirle eso, que el asunto de las palabras ha sido siempre un embrollo para ella.

—Ana... —escucha la voz familiar de Jeremy, y entonces se detiene y quisiera ahora asirse a su voz. Ser mecida por ella.

—Ana... —vuelve a repetir Jeremy—. ¿Vas a quedarte allá?

—¿Por qué me preguntas eso?

—Porque quisiera verte. Eso es todo.

—¿Eso es todo?

—Sí. Quisiera verte.

¿Era acaso tan sencillo? Se pregunta Ana y en lugar de sentir alegría ante tal evidencia, una profunda tristeza se apodera de ella.

—No sé cuánto tiempo me quede. Le prometí a Daniela que me quedaría hasta que estuviera bien. Pueden ser meses o un año, no sé...

—Entonces yo podría ir a verte.

—¿Tú?

—¿Y por qué te alarmas tanto? ¿No es acaso ese tu país?

—Bueno es que yo pensé...

—No pienses tanto.

—Jeremy...

—Puedo llevar conmigo a la Señora Palmer.

—Eres... un ángel, pero uno de verdad, no esos gorditos inútiles que andan por ahí molestando a la gente...

—Por lo que me cuentas, tú también.

Epílogo

Al salir del supermercado, Cata toma su auto y enfila hacia la cordillera por la Kennedy. Debe apresurarse para alcanzar a llegar a su departamento antes que Daniela. Aunque Daniela no ha sido nunca puntual, esta vez prometió que estaría allí a las nueve. Pronto el mall con su mar de gente y su apariencia de torta de cumpleaños queda atrás, y, al ponerse el sol, de un tirón surgen las luces navideñas instaladas por el alcalde recién electo. Pascueros, estrellas, bolas y pinos multicolores se reflejan con su estridente fosforescencia en las carrocerías de los autos y las ventanas, produciendo el efecto de una constelación.

Escogió un departamento en uno de esos barrios nuevos que bordean la montaña, sin historia ni alma, sin vecinos conocidos ni miradas vigilantes. Un lugar anónimo donde poder diluirse, navegando entre palmeras trasplantadas y plazas sin sombra. Frente a su edificio, una gran bóveda negra se abre ante ella y el automóvil desciende suavemente hasta alcanzar su rectángulo, el número doce, trazado con dos flamantes líneas amarillas.

Una vez adentro, las puertas de acero del ascensor reflejan las pocas luces del subterráneo y también su rostro intervenido de fulgores, ese pelo corto que aún no reconoce como suyo, la boca pronunciada por un trazo bermejo, y sus ojos, sus propios ojos que la miran con una estimulante inquietud. Los entrecierra para volverse aún más abstracta, más ajena, pero las puertas se abren y una mujer de su exacta estatura y complexión emerge del interior del ascensor sin mirarla. Cata presiona el botón del piso nueve y una sonrisa inunda su rostro.

Desde el pasillo escucha el teléfono sonando en su departamento. En el último tiempo, oírlo sonar le produce un inevitable balancín de emociones. Alguien allá afuera, en ese inmenso mundo que divisa desde lo alto de su ventana, ha marcado su número, y a modo de divertimento le gusta imaginar por un segundo que ese alguien, quienquiera que sea, le depara una sorpresa. Aunque eso nunca ocurre. Es Joaquín para acordar lo del fin de semana. Le corresponde a él quedarse con los niños, pero ha surgido un imprevisto. No discuten por esas cosas. Lo cierto es que desde que ella se mudó a ese departamento, prácticamente no discuten. Incluso almorzaron juntos hace unos días y tomaron varios piscos sour de más y se quedaron en el restaurante mucho después que los múltiples oficinistas hubieran desaparecido.

A través de las delgadas paredes se escucha el golpeteo de una máquina de escribir en el departamento vecino. Por los ventanales la noche desciende a pasos agigantados tiñendo el piso y los muros de sombras. Cata enciende una gruesa vela amarilla y la fija con la esperma sobre un platillo. Cuando compró los enseres esenciales para instalarse, olvidó por completo los candelabros.

Está segura de que esa luz le gustará a Daniela. No es la primera vez que Daniela viene a su departamento. Se ha vuelto una costumbre esto de pasar una velada juntas y mirar una película en el cable con una buena botella de vino. En la última sesión, Marina, la terapeuta, anunció que su mejoría avanzaba a pasos agigantados. Cata no está tan segura de eso, sobre todo cuando la ve encendiendo un cigarro tras otro con sus manos blancas y delgadas de fantasma, y ve sus ojos descarnados escrutando la comida que ella se echa a la boca, sin comer nada, nada absolutamente, o cuando por el contrario de pronto en un arrebato se devora un queso entero y luego esgrime una excusa para salir corriendo. Debe admitir que al menos se ríe. Se ríe como nunca antes, se ríe de lo que se dicen, de lo que no se dicen, se ríe de todo. Además, la amiga con quien se mudó a vivir a la casa del abuelo parece ser una chica estupenda, con los pies bien clavados en la tierra.

De todas las experiencias que han surgido en la terapia de Daniela, la que va a permanecer estampada en su memoria, si no para siempre al menos por un buen trecho de su vida, es la visión que tuvo su hija de ella cayendo por un despeñadero de sangre, hundiéndose irremisiblemente con todo su mundo perfecto.

En los edificios del frente al prenderse y apagarse algunas luces, las sombras fugaces de sus habitantes se hacen visibles. Una oleada de puntos luminosos surge de más lejos, ensanchando el horizonte negro de la noche. El fulgor que desprende su ventana en ese océano, debe ser tenue y movedizo. Un fulgor amarillo que no tiene nada de imaginario, que es real como la voz de Daniela que abre la puerta, exclamando:

—¡Nunca te vas a imaginar la sorpresa que te tengo!

Cata piensa entonces que cualquier cosa es posible, ella misma lo confirmó, lo que no ha ocurrido, puede ocurrir mañana. Inclusive aquello que no estaba contenido en esa gran bola que ella llamaba futuro.

—¿Qué? Dime, anda, ¿qué?

—Ana y Jeremy me dejaron a la Señora Palmer. ¿Te das cuenta? Me preguntaba si no te importaría que viviera contigo. Ahora que ellos partieron, y con todas las cosas que tengo que hacer, la pobrecita va a estar sola la mayor parte del tiempo y, según Ana, la casa del abuelo es demasiado grande para una gata londinense... Además, así tú y ella estarían juntas, y yo podría venir a verlas a las dos.

Agradecimientos

*A Pablo Simonetti,
por las palabras-hormigas
que me ayudó a contar, por las preguntas
que me obligó a formularme y por los atajos
que me prohibió tomar.*

*A Micaela y Sebastián, por su paciencia.
A Alejandra Altamirano, por su generosidad.
A Cecile Latham-Koenig, por su fe.*

Este libro se terminó de imprimir
en el mes de diciembre de 2002,
en los talleres de Quebecor World Chile S. A.,
ubicados en Pajaritos 6920,
Santiago de Chile.